激突！遠藤 Vs 田原

日中と習近平国賓

遠藤誉
Homare Endo
田原総一朗
Soichiro Tahara

実業之日本社

第1章 香港を斬る!

――デモに凝縮されている構造

1 なぜ香港デモはくり返されるのか?

2 覆面禁止法を巡って、香港司法と北京が激突!

第2章 香港民主派圧勝と香港人権民主法を斬る！

第3章 ペンス演説を斬る！

第4章 台湾、韓国、「一帯一路」協力を斬る!

2
ＧＳＯＭＩＡ破棄、停止問題が日韓の新たな火ダネに

3
「一帯一路」日本参加の是非

第5章

中国経済とハイテク国家戦略を斬る！

第6章 習近平国賓招聘問題を斬る！

3

日中関係は少しも正常な軌道に戻っていない

編集部より：本書は田原総一朗氏が遠藤誉氏に質問をぶつけ、遠藤氏が中国専門家の視点で回答するという形式を取っているため、回答を補足する意味で遠藤氏に【遠藤注】あるいは【文責：遠藤】という形でご執筆いただきました。編集部による注記は、単なる（注）としてあります。

編集協力：佐藤克己（渇望舎）、渋川智明
ブックデザイン：ソウルデザイン
DTP：株式会社千秋社

第1章

香港を斬る!

——デモに凝縮されている構造

1 なぜ香港デモはくり返されるのか?

香港デモに潜む本当の理由は何か

田原　今回、私が対談させていただく遠藤誉さんは、日本だけでなく世界から信頼され、最も尊敬を集めている中国ウオッチャーです。中国本土を含む世界各地に信頼できる情報源をお持ちで、なおかつ中国語や英語メディアからリアルタイムでニュースを収集し、中国という国の一挙手一投足を、鋭く、しかも誰もが納得できるように分かりやすく分析し、積極的に発言なさっておられる。

私はジャーナリストとして、遠藤さんの掴んでおられる奥深い情報と洞察力は、日本にとって極めて重要であると常々考えていました。それだけに、米中関係や香港《ホンコン》問題が世界の注目を集め、さらには習近平《しゅうきんぺい》国家主席の国賓《こくひん》としての来日が予定されているタイミングでこうして対談できることを、心待ちにしていたんです。遠藤さん、どうかよろしくお願いいたします。

遠藤　こちらこそ、田原さんと対談できるのを大変楽しみにしておりました。過分なお言葉を恐縮です。田原さんは私よりも7歳も年上でいらっしゃるのに、今もなお現役でバリバリ仕事をしておられる。元気づけられるだけでなく、心から尊敬しております。

ところで、仰ったとおり、まさに習近平が国賓として来日することが予定されているタイミングですが、私は習近平を国賓として呼ぶことには絶対に反対なんですよ、実は。きっと田原さんは、私とは反対の意見を持っておられるのではないかと勝手に推測していますが、いつものあの鋭い舌鋒で熱い議論を交わすことができるといいですね。どうぞ、よろしくお願いいたします。


田原　日本と中国とのあいだで、人権問題や領有権問題などをめぐり議論があるのは承知しています。私自身、特にウイグル問題では、どうにかならないものかと痛感しております。

しかし、習近平国家主席を国賓として日本に迎えることは、政府が閣議で答弁書を決め、国会質問にもその方向は変わらないと答弁している。世界第２位の経済大国なんだから、隣国の中国とは「仲良くすべき」、習近平主席も国賓として迎えるのが国益にかなうと、二階（俊博自民党幹事長）さんにもそれを積極的に勧め、メディアなどを通じても言ってきました。そこの元首を招くのだから、赤絨毯を敷いて迎えるのは外交上賛成で、これに関しては、安倍政権は間違っていないと思っています。習近平国賓論に関しては、どうやら遠藤さんとは正反対の意見を持っているようですから、これは相当な激論になるでしょう。遠藤さんのお考えは後ほどじっくり聞かせていただくとして、では早速始めましょう。

まずいま、大問題になっている香港の大規模デモについて伺いたい。逃亡犯条例改正案

（注①）が香港政府から出されたことにより、逮捕、容疑者は中国本土の司法制度への連行も可能になるので、民主運動家が弾圧されるのではないかと、若者を中心に2019年の6月から100万人の大規模デモが起きた。条例改正案は撤回されてもデモは治まらなくて、泥沼化しました。そもそも、なぜ香港ではこんなにまでデモがくり返されるのか。

遠藤　第一弾から、いいご質問ですね。デモの状況がどうだったかに関しては多くのメディアが報じておられるので、それは読者の方もご存じのことでしょうから、ここではもっと根源的な「そもそも」論でお話をさせていただきたいと思います。そうでないと、香港の未来予測ができません。これさえ知っていれば香港が今後どうなるか、どなたでもご自分で予測できるような、デモの構造に潜んでいる基本情報をご提供したいと思います。

ご存じのように、香港は1997年に中国に返還されましたが、1999年にはマカオも中国に返還されている。両地区とも「中華人民共和国特別行政区」として「一国二制度」（注②）を実施することになりましたね。両地区の条件はほぼ同じです。

それなのになぜマカオでは、一度も民主を求めるようなデモが起きたことがないのか、そして香港では2003年から何度もくり返し激しい長期間にわたる大規模デモが展開されてきたのか、そこに目を向けなければなりません。その違いはどこから来たのかを、まずしっかりと頭に入れておくことが肝要です。

（※中国返還後は「中華人民共和国香港特別行政区」および「中華人民共和国マカオ特別行政区」

となっているので、「中国と香港」や「中国とマカオ」という表現が適切でなくなる。返還後の「中国」に関しては、適宜、「北京」「北京政府」あるいは「大陸」として区別することとする）

（注①）【逃亡犯条例改正案】２０１９年に香港政府が提出した法案。香港は「一国二制度」のもと、自治司法権がある。容疑者の身柄引き渡し手続きを簡略化し、中国大陸（北京司法）、マカオ、台湾（中華民国）にも刑事事件の容疑者を引き渡しできるようにするもの。

（注②）【一国二制度】「一つの国に二つの制度」の意味で、かつてイギリスの植民地だった香港、ポルトガルの植民地だったマカオの主権を中国が回復したことを受けて、中国政府が打ち出した政策。一つの国、つまり中国に共産主義と民主主義の二つの制度、体制を認めるということ。香港、マカオは高度に自治権を有する特別行政区として資本主義制度を実行した。

大英帝国の存在が香港デモの背景に

田原　言われてみれば、たしかにマカオではデモが起きたというのを聞いたことがありません。

遠藤　はい、中国に返還された後は、マカオでは一度も反政府デモは起きていません。マカオの若者が自由や民主を求めていないなどという失礼な推測をしてはならず、また、そうであろうはずがありません。しかし香港と同じように一国二制度が実施されてきたし、むしろ香港よりも深く北京政府が入り込んでいます。それなのに反中抗議デモが起きていないのはなぜか。

その違いは、「マカオには貧富の格差がなく、香港は貧富の格差が激しい」ということもありますが、何よりも「香港はイギリスの植民地で、マカオはポルトガルの植民地だった」ことが深く関係していると思います。貧富の格差問題に関しては本章の後半でお話しすることにして、まずは、日本ではあまり問題視されていない、「中国返還前までの統治国の違い」に関して考えてみたいと思います。

ご存じのようにイギリスはかつて世界に冠たる「大英帝国」として燦然《さんぜん》と輝いていた過去があります。

田原　大英帝国は、その全盛期には全世界の陸地と人口の4分の1を版図に収めた史上最大の面積を誇った帝国でした。唯一の超大国と呼べる地位にあり、第二次世界大戦後はアメリカがその地位を奪い、結局イギリスは次から次へと各植民地を独立させて、イギリス連邦を発足させた。

遠藤　香港を中国に返還させる交渉が直接、具体的に始まったのは、1982年9月で、例の「鉄の女」と呼ばれた、当時のマーガレット・サッチャー首相が、改革開放の総設計師で「鋼《はがね》の意思を持った男」と呼ばれた鄧小平《とうしょうへい》と渡り合いました。このときサッチャーが背負っていたのは、まさにいま田原さんが仰った「イギリス連邦」(コモンウェルス)です。連邦と言っても、連邦国家とか連合国家ではなく、中央政府を有しない「ゆるーい」国家連合体ですが、それでも、元統治国(植民地)を放棄するときには、この連邦が物を言って、イギリスはさまざまな仕掛けをします。ここでは二つ、大きな特徴を列挙しなければなりません。

田原　一つ目は？

遠藤　はい、一つ目は最後の香港総督《そうとく》となったパッテン総督のときに、思いきり民主的な施政を行わせたことです。つまり１９９２年から97年の５年間だけ、香港市民は民主を満喫してしまった。それまでは、イギリスから一方的に香港総督が任命されて派遣されるのですから、民主の「み」の字もありませんね。なんと言っても、現在の立法会に相当する立法局の議員は、すべて香港総督が指名していましたから。ところが１９９１年から直接選挙が始まったんですよ。

田原　パッテン総督が就任する前からですか？

遠藤　はい。クリストファー・パッテン氏が香港総督に任命されたのは１９９２年６月です。しかし赴任する前の年の１９９１年に直接選挙を導入したということは、香港の最後の５年間を「ものすごく民主的に！」と思ったのはパッテン個人ではなく、イギリス政府であったことが、このことから読み取れます。パッテンはサッチャー政権で大臣を務めていたことがあり、サッチャー首相とは仲良しでした。パッテンが総督になったときはメージャー政権に移っていましたが、パッテン総督まで香港総督は外交官がやっていましたので、政治家で大臣経験者でもあるパッテンが香港総督になったこと自体、驚くべき変化で、イギリス政府がどれだけ「香港の民主性を強化すること」に力を入れていたかが窺えます。

その結果、1991年生まれから97年生まれの香港市民たち、あるいはそのころに物心ついた市民たちは「イギリスはなんと民主的で素晴らしい国だったか」と、共産主義の一党支配国家である中華人民共和国、つまり北京政府と言いますか「大陸」とは、大きな違いがあるという気持ちを抱くようになります。そして民主と自由に憧れ、共産党の一党支配を憎むようになるのです。91年生まれは現在28歳、97年生まれは現在22歳になりますね。

田原　なぜイギリスは中国に返還する直前になってわざわざ民主化したのですか。まるで中国を困らせるためにやったみたいですね。

遠藤　そこなんですよ、問題は。当時のサッチャーには、あたかも大英帝国を髣髴《ほうふつ》とさせるような意気軒昂《いきけんこう》とした勢いがありました。ご存じのように1982年3月19日に、アルゼンチン海軍の艦艇がフォークランド諸島のイギリス領サウス・ジョージア島に寄港して、イギリスに無断で民間人を上陸させると、サッチャーは直ちに原子力潜水艦を出動させました。

田原　そのころ私もハラハラしながら成り行きを見守っていましたが、4月25日にはイギリス軍がサウス・ジョージア島に逆上陸して即日同島を奪還しますね。アルゼンチンの抵抗があったものの、イギリス軍は戦局を有利に進め圧勝しましたね。

遠藤　さすが第一線で活躍しておられたジャーナリストです。よくご存じでいらっしゃいます。その通りです。6月14日にはアルゼンチン軍が全面降伏して戦争は一瞬で終わりました。このフォークランド戦勝によってサッチャーの支持率は74％まで急上昇。「鉄の女」として美しい髪をなびかせながら鄧小平に会うのは、その直後だったんですよ。だから彼女には絶対的な自信があり、さながら大英帝国の女王のような風格がありました。同時に、香港を「中国ごとき国力のない田舎者に渡せるか。イギリス以外に香港を統治できる国はない！」という、中国に対する侮蔑心と「中国のような一党支配の独裁国家が香港を統治し始めたら、香港の国際都市としての繁栄は一瞬で崩壊する！」という、強烈な警戒心を抱いていました。だからパッテン総督に、思いきり民主的な施政を行わせ、「野蛮国」中国とのギャップを香港市民に思い知らせ、染み渡らせようとしたわけです。

田原　なるほどねぇ。これは面白いなぁ。あのフォークランド戦争にまでいくんですね。では、二つ目は？

香港最高裁の判事は17人中15人が外国籍

遠藤　二つ目は司法です。イギリスが統治していたときは、香港の最高裁における判決は、最終的にはイギリスの枢密院まで上告することができました。それくらい香港におけるイギリスの法統治というのは絶対的で強力でした。その根幹をなすのはコモン・ロー（注③）です。

そこでイギリスは香港の中国返還に当たって、絶対に司法のコモン・ロー体系を譲りませんでした。特に中国は文化大革命（文革）などがあり、法も何もあったものではない。何千万もの中国人民が、毛沢東の意思一つで犠牲になったのですからね。その数は文革期間だけで2000万人に及んだと、当時の中国政府自身が認めています。1980年代なんて、まだ文革の痕跡が残っていましたから、存在しないに等しいような中国の法律で裁くなどということは考えられない状態でした。ここは絶対に譲れない一線でした。

田原 そんなことを言ったって、返還から50年後には〝一国二制度〟はなくなるのですよ。それならば中国はイギリスと全面的に交渉して、一気に返還させていればよかった。

遠藤 お気持ちは分かりますが、少々乱暴ではないでしょうか。そんな力が当時の中国にあろうはずがありません。1982年ですよ。1976年まで続いた文革で、中国経済は壊滅的打撃を受けていました。78年にようやく改革開放を始めたばかりです。イギリスにいきなり香港を中国に即時、全面返還せよなどということを要求するような力は持っていません。それに、香港の国際金融センターとしての役割を考えれば、しばらくはイギリス統治下の方が中国にとっては都合がよかったほどです。当時の中国には独自で国際金融センターを運営していくようなノウハウもなければ信用もなかった。

なぜ「50年間」にしたのかに関しては、あとでご説明するとして、中国はそれまで毛沢東の一声で何もかもが決まる「人治国家」でした。したがって中国大陸にコモン・ローを理解する人材などいるはずがありませんね。そこでイギリス連邦を中心とした、世界のコモン・ロー国家から裁判官を招き入れることが可能となるような仕組みを作ったんです。すなわち、香港基本法の第82条には「香港特別行政区の最高裁判所は香港以外の他の地区のコモン・ローを適用している国から裁判官を招聘してもいい」という文言があり、第92条には「香港特別行政区の裁判官や司法のメンバーは、（香港以外の）他の地区のコモン・ローを適用している国から選抜してもいい」という条文があります。但し逆に第90条では「首席裁判官（裁判長）は香港籍でなければならない」という条文があります。その結果、いま現在では香港最高裁判所の判事は17人中15人までが外国籍なんです。

田原　それをわかっていて民主化を徹底させるというのは意地悪以外の何物でもない。無茶苦茶だな。よくそれを中国は呑みましたね。

（注③）【コモン・ロー】英国法において発生した法概念で、中世以来イングランドで国王の裁判所が伝統や慣習、先例に基づき裁判をしてきたことによって発達した法分野のこと。現在では（スコットランドを除く）イギリス本国のみならず、多くの英語圏の国やイギリス連邦の国々の法体系の基礎をなしている。アメリカもルイジアナ州（元フランス領）とプエルトリコ（元スペイン領）を除けば、コモン・ロー体系を採用。フランスが統治していたケベック州を除いたカナダ、イギリスの元植民地として代表的なオーストラリアやニュージーランドも、コモン・ロー体系の中に入る。

習近平の父親と香港の司法制度の知られざる関わり

遠藤　そうですね。ところが、もっと驚くべきことがあります。実は、これを呑むべきだと主張したのは、なんと、習近平のお父さんの習仲勛《しゅうちゅうくん》（勲）だったのですよ。

田原　えっ？　習近平のお父さんが関係しているんですか？

遠藤　ええ、習近平のパパです。サッチャーが鄧小平と会談した後の1983年、中国に返還されるなんて不安でならないと思っていた香港市民の中から12人の青年訪問団を選んで北京に招き入れ、中南海（注④）で習仲勛が接待したことがありました。この面会で司法に関する基本的方針が論議されたのですが、習仲勛は1978年12月から改革開放を始めた鄧小平に対して「深圳《しんせん》を経済開発特区にするといい」と進言した人物でもあります。

というのは、中国は国土が広くて人口が多いですから、文革がようやく終息したばかりの時期に、いきなり全国的に金儲けをしてもいいという改革開放を推進し始めると国が乱れて収拾がつかなくなる可能性があります。そこで一つの区域を区切って、試しに自由な売買をさせてみるというアイディアを出したのです。何としても改革開放を進めたかった鄧小平は、習仲勛のアドバイスに従っています。

経済的に著しく立ち遅れていた当時の中国にとって、香港は輝かしい国際金融都市でした。香港に最も近い深圳を最初の経済特区に選んだのも、そのためです。

「鉄の女」サッチャーは、そこに目を付けた。「香港が外資を呼び込み世界の金融センターとしての役割を果たし続けるには、香港にいる外国企業との間で訴訟が起きたときの裁判は外国人が執行しないと外国企業は安心しない。もし今後も香港の繁栄を持続して大陸に有利なようにしたいのなら、絶対に裁判所の裁判官は、外国人でなければならない。そもそも中国大陸には、それを裁ける人材は絶対にいない！」と断言したのです。

そこで、この12人の青年訪中団メンバーを厳選して中南海に送り込んだわけです。

田原　そんな経緯があったんですね。そこで受けたのが習近平のパパだったと。

遠藤　習近平のパパ習仲勛は、えらく鄧小平に気に入られていたので、鄧小平はこのパパに任せたのですよ。習仲勛は当時、中央書記処書記もしていましたからね。

そこでサッチャーが派遣した選りすぐりの12人の青年訪中団は、この線に沿ってパパを説得した。そこでパパはこう考えたと判断されます――たしかに、これまでイギリスの法統治が非常に効果的に作用していたからこそ、香港は国際金融センターとして大繁栄を続けてきたにちがいない。片や中国（大陸）は建国以来、毛沢東の一存ですべてが動く人治国家だった。10年間続いた文革は終わったばかりで、法律をわかる者などいるはずがない。法体系など中国には存在しないに等しい。しかし、中国はいま改革開放を打ち出し、何としても経済的に成長したいと思っている。それには鄧小平が模範とする香港が中国返還後も繁栄を続けてくれないと困る。それを確保するためなら、これまで通り、コモン・ローに精通した裁判官がいた方が、より多くの外国企業に投資してもらえるだろう。

ざっと言えば、こういう計算が働き、イギリス側の主張を呑んだものと判断されます。

（注④）【中南海】北京市の中心部西城区、かつての紫禁城（現故宮）の西側に隣接する地区を指す。中華人民共和国政府や中国共産党の本部や要人・秘書の居住区などがある。また単なる場所を示すのみならず、権力の象徴としての政治用語でもあり、「中南海入りする」とは、「党の指導部入りする」ことを意味する。

遅きに失した改正案の撤回

田原　なるほどねぇ……。そんな深い背景があって、北京側はイギリスの要求を呑んだということだったんですね。初めて知りました。

遠藤　そうでしたか。ですから、２００３年以降、香港では何度も民主を求める反中デモがくり返し展開されてきましたが、そのデモにおけるトップリーダーたちが逮捕されても、裁判所の裁判官は西側の民主主義的価値観を持っていますから、わずか1ヵ月、最大でも3ヵ月程度の懲役で釈放されてきたんですよ。

田原　実はこれまで不思議に思っていたのですが、なぜ刑が重くないのか、その理由がよくわかりました。

遠藤　彼らはみな、ちょっとした小旅行にでも行ってきたような爽やかな明るい表情で監獄から出てきますね。だから習近平は何としても民主の芽を一刻も早く摘み取りたいとして、「逃亡犯条例改正案」を香港政府に出させたんです。自分の親が残した「負の遺産」を自分の手でケリを付けたいという気持ちがあったのでしょう。

香港デモに関する冒頭で田原さんも仰っておられましたが、この改正法案は、一般の香港人が香港において政府に刃向かう動きをすれば「引き渡し手続きを簡略化して、すばやく大陸に送り込み、大陸の司法で裁くことができる」というのが真の狙いですね。

もし改正案が通ったら、香港の民主活動家たちは、これまでのような軽微な刑で済まされなくなります。だからこれをあらゆる側面から防ぎたかった。6月にデモが大規模化して、一度は（6月21日）法改正の審議を無期延期しましたが、「来年7月に廃案になる事実を受け入れる」という条件が付いていたので、デモ側は「2020年7月までに法改正を再開する可能性が残されている」として「今すぐ撤回して廃案にしろ」と要求しました。

田原　連日の激しい要求で9月4日に林鄭月娥《りんていげつが》（キャリー・ラム）行政長官は「撤回」を正式決定すると表明しましたね。ただ立法会（香港政府議会）が開催されないと「議決」という形を取れない。10月23日になってようやく立法会を開催出来て議決しましたが、デモ側は、「改正案の完全撤回、警察と政府が市民活動を暴動とした見解の撤回、デモ参加者の逮捕・起訴の中止、警察の暴力的制圧の責任追及と外部調査実施、林行政長官の辞任と民主的選挙の実現」

という5つの要求を出していましたからね。

遠藤　香港政府側がもっと早く改正案を撤回すると宣言していれば、ここまでの事態にはならなかったと思います。もう若者に火がついてしまっていましたから、何もかも遅すぎたのです。

田原　そうですねぇ。しかし、その後のデモはどんどん激しくなりますが、着地点や目標がなく、リーダーらしき存在もなかったようですね。

2
覆面禁止法を巡って、香港司法と北京が激突！

緊急条例で「覆面禁止法」制定

遠藤　９月４日の後もデモが鎮静化するどころか、田原さんも仰ったように暴力的になり始めて、かえって激しくなっていったので、10月４日になると、林鄭月娥は「緊急状況規則条例」（緊急条例）を発動し、デモ参加者のマスクなどの着用を禁止しました。顔を何らかの形で覆い、見えなくすることを禁止する緊急立法を発布したわけです。デモ参加者が顔を覆うのは、監視カメラがありますから、あとで拘束されたりブラックリストに載ったりして人生に不利にならないようにするためと考えていいでしょう。

田原　緊急条例というのは、いつごろからあるものなんですか？

遠藤　これは古くからありまして、まだイギリス統治時代の１９２２年に制定されています。１９６７年５月６日から同年の12月まで香港で闘われた「六七暴動」というのがあるんですが、その時に発動されて以来、約半世紀ぶりに発動されました。

田原　六七暴動？

遠藤　これは文革の流れの中で、中共側が反英運動として起こしたものなんですよ。文革は1966年に始まってますので、その一環でした。

田原　文革が香港にまで及んだのですか？

遠藤　ええ、香港というのは日中戦争の時代から中共のスパイ組織があったところでして、中共の根拠地の一つでした。もっとも日本敗戦後から中国大陸で国民党と共産党との間の国共内戦（革命戦争＝解放戦争）が始まりますと、多くの中国人が戦火を逃れて香港に流入してきます。さらに1949年10月に中華人民共和国が誕生しますが、国民党の敗色が濃くなった時期から共産党の統治を嫌った一般庶民が大量に香港に逃れてきました。その数は100万を超え始めたので、1950年5月にイギリス統治下の香港政府は「入境管制条例」を発布して、大陸と香港の自由往来を禁止します。

その結果、「中継貿易」で栄えた香港の経済が衰退していったので、香港政府は大陸から流入してきた中国人を安い労働力でこき使い「加工貿易」に切り替えるのです。貧富の格差はこのようにして1950年代初期から顕著でした。

田原　そんなころから、貧富の格差が始まっていたのですか？

遠藤　興味深いのは、移動の自由が制限された結果、香港に逃亡した中国人が、香港を「逃亡先」という仮の宿ではなく、「終着点」として、そこに「定住する道」を選び始めたことです。そのため、香港生まれの「香港人」が増え始め、香港には「親中派」と「反中派」が混在していただけでなく、「私は香港人だ」という意識が、どんどん色濃くなっていくんですね。

田原　毛沢東は香港に対して、どういう姿勢だったのですか？

遠藤　中国建国当初、毛沢東は「香港、マカオ、台湾」は中国の領土だという強い主張を表明していますが、何と言っても当時国連に加盟していた「中国」は「中華民国」ですから、イギリスに対して「中国はイギリスによる植民地の主権を認めない」としながらも「暫時、香港を奪還しようとは思ってない」と、イギリスに対して意思表示しています。しかし、日中戦争時代に香港における中国共産党のスパイ根拠地のトップを務めていた廖承志《りょうしょうし》は、１９６０年に「われわれは香港、九龍《クーロン》および新界《しんかい》を解放するために積極的な行動を取ることを躊躇していない」と、軍事力をほのめかすようなことを言っています。朝鮮戦争で中国軍の圧倒的強さを見せた毛沢東は、軍事力に関して強気でした。

田原　文革の影響もその流れですか？

遠藤　はい、そうです。六七暴動のときは毛沢東の影響を受けた紅衛兵の力が強くて、８ヵ月間にわたり暴れまくったのです。そのためイギリス政府が香港総督に命じて緊急条例を発布させたわけです。今般は北京政府の指示を受けて香港政府の行政長官が「覆面禁止条例」を出したわけです。日本ではマスク禁止令という言い方のほうが多いかもしれませんね。

田原　そうですね、私はマスク禁止令で頭に入っていますが、これに関して行政長官が「暴力行為をやめさせるのが目的だ」と言ってましたね。

遠藤　はい、その通りです。暴力は香港警察が先に始めたもので、それに抵抗するには暴力しかないと若者たちも言って、さきほど田原さんも仰ったとおり、後半ではデモ側がかなり暴力的になりましたが、それをやめさせるためとして発布した覆面禁止条例が「基本法に違反する」と香港の高等裁判所、高裁が判決を下したんですよ。

田原　ほう。香港の司法と香港政府の意見が一致しないというのは、一見、三権分立が成立しているように見えますが、そういうわけではないんですか？

遠藤　たしかに一見、素晴らしいことだと思いますね。ところが、これこそが先ほど申しましたイギリスの置き土産効果の一つでして、最高裁だけでなく、高裁の裁判官たちも裁判長以外はみんな外国籍の人たちによって占められているからなんです。

田原　とんでもない置き土産ですね。北京政府がどう反応したかが問題になりますね。

香港司法と北京が激突

遠藤　さすが鋭いではないですか。まさに、そこなんです。高裁が違憲判決を出したその瞬間、北京は激しく反応しました。中国共産党の管轄下にある中央テレビ局ＣＣＴＶは、噛みつくような勢いで、香港の司法には香港基本法に対する解釈権はなく、全人代（全国人民代表大会）常務委員会にのみ、その権限があると繰り返しました。11月19日付の中国共産党機関紙「人民日報」傘下の「環球時報」もまた「全人代：香港高裁の判決は基本法と全人代関連規則に合致しない」というタイトルで香港高裁を糾弾しています。もう連日、火が付いたような糾弾ぶりで、激しい火花を散らしました。

田原　香港司法と北京が激突するって、これはまた興味深い光景ですね。

遠藤　そうですね。北京政府のこの激昂した糾弾にこそ、今般の香港デモの根源があると思って、私は食い入るようにＣＣＴＶを観察し、中国政府側の報道ぶりを見逃すまいと、情報を追いかけました。

田原　どんな展開になったか、紹介してくださいますか？

遠藤　はい、承知しました。11月19日付の「新華社通信」は、全人代常務委員会法制工作委員会の報道官が香港高裁の判決に関して以下のように語ったと書いています。

▼11月18日に香港高裁が出した一連の判決の中に、「緊急条例（覆面禁止令）」が香港基本法に符合しないという判決があるが、この判決は完全に無効である。（中華人民共和国）憲法と基本法は共同で特別行政区の憲法制度を構成している。香港特別行政区の法律が香港基本法に合致するか否かを判断する権限は全人代常務委員会にのみあり、当該委員会のみが基本法の解釈権を持っている。

▼最も肝心なのは、１９９７年２月23日に開催された第８期全人代常務委員会第24回会議で「中

華人民共和国香港特別区基本法第160条に基づき香港の既存の法律を取り扱う」ことに関して、「緊急条例を香港特別行政区法律として採用する」という決定をしていることだ。したがって、緊急条例は香港基本法に合致している。

▼このたびの香港高裁第一審の判決内容は、香港特別行政区長官と香港政府の法に基づく管轄統治権を著しく弱めるものであり、香港基本法と全人代常務委員会の関連する決定に合致しない。厳しく抗議する。

概ね、このような感じの激しい反論でした。

田原 北京と香港司法が、実は敵同士で戦っているって、まるで今般の香港デモの原因が、すべて凝縮されているような反論ですね。

遠藤 はい。ですから香港司法と北京政府との関係をしっかり見ないと、香港デモの正体を理解することは出来ません。先ほど香港最高裁の裁判官17人中の15人が外国籍判事だと申しましたが、実は高裁の判事は裁判長を除いてすべてが外国籍で、その中には3名もアメリカ人がいるのです。

田原 アメリカ人までいるんですか？

遠藤 そうなんです。先ほど申しましたように、基本法82条と92条で規定しているのは最高裁判所だけではありません。その下になればなるほど外国人が多くなります。しかもコモン・ロー体系の国と明記してありますので、アメリカはルイジアナ州とプエルトリコを除けば全てコモン・ロー体系で動いていますので、アメリカ人も裁判官になっていいわけです。

香港の民主運動のリーダーたちをアメリカ人が裁くのですから、アメリカ政府に有利な方向に司法判断をする可能性さえ否定しきれないという実態が浮かび上がってきますね。イギリスは、凄まじい置き土産をしていたのです。

3

貧富の格差があまりに激しい香港

香港四大財閥に富が集中

田原　香港デモの背景に、司法の構造があるのがよく見えてきました。しかし一方では、一般庶民の不満というものもあるはずで、遠藤さんも冒頭で触れていますが、その辺はもう少し掘り下げていただきたいと思います。

遠藤　はい、わかりました。香港は貧富の格差が激しくて、現状への不満が長年にわたって鬱《うっ》積《せき》しています。現在でも香港のジニ係数（注⑤）は0・53と、世界でもトップレベルの数値ですから。

田原　香港の貧富の格差はそんなに激しいのですか。

遠藤　絶望的なほど激しいですね。イギリス統治時代からものすごい富裕層がいて、その人たちが中国政府と結びついている。中国政府はその人たちを保護する方向にしか動いていない。貧しい人たちがリッチになれるチャンスが、もう何もないのです。

田原　イギリス統治時代からなんですか？

図表 1-1　2017 年香港富豪ランキング

	姓名	年齢	資産（億ドル）	業種
1 位	李嘉誠 Li ka-shing	89	360	複合企業
2 位	李兆基 Lee Shau Kee	89	329	不動産
3 位	呂志和 Lui Che Woo	88	190	カジノ運営
4 位	郭炳江＆郭炳联	67	178	不動産
5 位	劉鑾雄	66	170	不動産
6 位	呉光正	71	130	不動産
7 位	朱李月華	59	120	金融
8 位	楊建文＆林惠英	-	111	伯恩（Biel Crystal）創業
9 位	蔡崇信	53	104	電子商取引
10位	郭炳湘	67	87	不動産

出典：Forbes Japan

遠藤　はい、そうです。香港の経済はほぼ四大家族（財閥）によって独占されていると言われています。もともとは李嘉誠、郭得勝、李兆基、鄭裕彤の四大家族で、その後は孫などに受け継がれ変遷がありますが、彼らはみな最初、不動産業からスタートしており、今は香港の経済の様々な分野を網羅しています。なんと言っても香港は土地が狭いですから、不動産を誰が先に掌握したかによって誰が大財閥にのし上がっていくかが決まります。

田原　たしかに香港は土地が狭いですからねぇ。私も何度か香港に足を運び取材をしてきましたが、狭い路地で高いビルとビルの間の上を見上げると、窓から物干しざおを突き出して隣りのビルの窓に渡して、そこに洗濯物を干している光景をよく見ましたよ。

遠藤　まさにその光景が象徴しているように、ともかく土地が狭く家賃が高い。この四大家族の歴史を調べるとすぐにわかりますが、彼らはイギリスの統治時代から既に財閥として確固たる地位を築いてきました。もちろん香港を大陸に返還した後は、大陸が、香港を代表する彼らと仲良く手を結ぶため、その独占度を更に膨らませました。

ここに「Forbes」が発表した２０１７年の香港の富豪ランキングがあります（図表１－１）。２０１７年のトップ10を示したものです。

これが発表される前にも、香港の富豪トップ10人の財産は香港全体のＧＤＰの35％に相当するという恐ろしいデータが出ておりまして、２０１７年のデータによると42・５％を独占しているとのことで、この独占化はますます激しくなっていると思います。

田原　四大家族で香港特別行政区の財産の４割を独占しているということですか？

遠藤　はい、そういうことになりますね。香港政府が２０１８年11月に発表したところによると、香港７２０万の人口のうち、貧困層は１０１万人もいます。２０１６年データでは、貧困層と富裕層の収入の違いは44倍。貧困層の平均月収は４０００香港ドル（５・５万円）以下という基準で分類されています。上流階級、富裕層は既得権益を独占しているため、若者は財閥系列の企業で働き、財閥に搾取されながら生活するしかありません。もちろん就職できた人は非常に幸運なわけですが、その中でも家を買うことができるほど出世する人は、従業員の０・

01％しかいないのです。残りの99・99％の人たちは、不動産価格と物価が高いため、生活するだけで精いっぱいなので、這い上がる余力も時間も資金もない。たとえば、30平米の住宅の家賃は月８０００~９０００香港ドルであるのに対して、大卒の平均月収は１万２０００香港ドル程度でしかありません。

（注⑤）【ジニ係数】所得などの分布の均等度合を示す指標で、国民経済計算等に用いられる。ジニ係数の値は０から１の間をとり、係数が０に近づくほど所得格差が小さく、１に近づくほど所得格差が拡大していることを示す。一般に０．５を超えると所得格差がかなり高い状態となり是正が必要となると言われている。

中国返還後に格差が拡大

田原　どんどんひどくなっているということだとすると、中国返還以前はどういう状態だったのか、もう少し具体的に説明して下さいますか？

遠藤　はい。香港不動産価格は60年代から上がり続けて、２０１６年までに約２００倍まで上がっています。香港が中国に返還されると決まったあとの１９９１年から１９９７年の間は、年間25％というスピードで不動産価格が高騰し、約４倍に膨れ上がりました。特に返還２年前の１９９５年になりますと、イギリス人が香港の不動産を大量に売り出すという現象が現れて、四大家族が競ってそれらをすべて購入し、1995〜1997年の間に、不動産価格が暴騰しています。大陸には31の省がありますが、各省の幹部がそれぞれ十数人ほど香港に来て不動産を買うので、当時香港の市場では、不動産価格が上がり続けるという噂が巷ではありました。例の、最後は重慶書記をしていた薄熙来《はくきらい》やその妻・谷開来《こくかいらい》などもその中の一人ですね。結果、香港の不動産価格は当時、世界一に跳ね上がったほどです。

田原　次期リーダーの一人に目されていたが、汚職スキャンダルの摘発により終身刑を受けた薄熙来や、金銭トラブルで、イギリス人のヘイウッド殺しの妻・谷開来が、ここに登場するとは。

遠藤　歴史は現在に息づいていますが、「高すぎる不動産価格は香港の競争力を損なう」という判断をした香港の最初の行政長官・董建華《とうけんか》が「八万五建屋計画」を提出し、低収入層に格安住宅を提供しようとしました。しかし不動産バブルは、アジア通貨危機も手伝って、崩壊し、不動産価格が暴落しました。不動産価格は2003年でどん底になり、60％減となりましたが、その1年前の2002年11月に香港政府が新たな不動産政策を打ち出します。土地供給を制限し、格安住宅を中止して、不動産価格を高騰させるように仕組んだのです。その結果、不動産価格は再び高騰し、2011年末には1997年のバブル最高峰の価格を超えてしまい、それが現在のさまざまな社会問題につながっていきます。

田原　私の記憶では、香港が中国に返還した後の最初の行政長官が、何か住宅に関して改正案を出したように思うのですが……。

遠藤　その通りです。先ほど申した最初の行政長官・董建華が「八万五建屋計画」という10ヵ年計画を出すのですが、これは毎年８万５０００棟の住宅ユニットを建てる計画で、10年間の間に香港市民の70％の家庭が自分の家を持つことができることを目標としたものです。

田原　そうそう、それですよ。あれは、なかなかに画期的で民生を重視した計画だと思って見ていましたが、成功しなかったのですか？

遠藤　ええ、成功しませんでした。つまり、もしこの計画を実施し始めたら、当然既得権益者にとっての不動産価格に悪影響を与えます。ちょうどこのときアジア通貨危機の影響もあり、不動産価格が暴落したため、不動産業を独占している四大家族が、彼ら自身が持っている不動産と、それをローンなどで所有している中産階級の利益を害するとして、猛反対をしたんです。高価な住宅など不動産をたくさん所有している人たちは、不動産を一種の株のようにして扱っていますので、投機的に取り引きされます。この大財閥たちの香港政府に与える影響力はすごいですから、結局、猛反対されて、香港政府は仕方なく計画を中止しました。その結果、今でも香港の大富豪たちは豪邸に住んでいて、一般人は高い賃金を払って「鴿子笼（鳩の籠）」に住んでいると揶揄されるような、ひどい状況にあります。

4 これまでのデモは成功してきた

NEDとデモの結びつきは本当か？

田原　しかし2003年、まさにこの董建華行政長官のときに、若者たちによる最初の大規模デモが起きて、行政長官を辞任に追い込みましたね。

遠藤　はい、その通りです。彼は2005年に辞任に追い込まれましたが、その背景には2003年に持ち上がった香港の国家安全基本法問題がありました。これは北京政府が基本法第23条で、国家分裂や反乱扇動、中央政府転覆などを禁ずるよう条文を修正しようという動きがあり、それに対して50万人からの若者による激しい反対デモが展開されて、結局、そのときは、修正を断念させたのです。つまり、廃案に持っていくことに成功したわけです。

結果、董建華は辞任した。ですから若者たちには自分たちがデモや直接行動で、第23条修正案を撤回させただけでなく、行政長官を退陣にまで追い込んで、勝利したとの思いがある。反対をし続ければ、必ずいつかは勝利するとの成功体験があるわけです。しかし、ここで立ち止まって、このときに何が起きたのかを掘り下げないと、香港デモの構造が、まだ見えてきません。

田原　まだ何か潜んでいるのですか？

遠藤　はい、むしろこれこそが一番大きな盲点かもしれません。実は１９８９年6月4日の天安門事件を受けて、香港基本法起草委員会の多くが抗議辞任しています。特に北京政府による武力弾圧を非難した李柱銘《りちゅうめい》氏が全人代常務委員会により解任されたという事実を見逃してはなりません。この李柱銘こそは、１９８３年に習近平のパパに中南海で会った12人の青年訪中団の一人でした。

田原　えっ？　そこに結び付くんですか？　それは面白い！　それで？

遠藤　李柱銘は香港基本法起草委員会の重要なメンバーの一人でしたから、基本法の成立過程を全て知っています。そこでなんと彼は爆弾発言をして、驚くべき事実をばらしてしまいます。

「天安門事件発生前までは、基本法には第23条はなかった。だから第23条は民主を弾圧するために、新たに設けた条文である！」

という、衝撃的な証言をしたのです。これが香港市民の怒りに火を点《つ》けました。中国に返還されたら「民主がなくなるのではないか」と不安に思っていた香港市民は、どこよりも激しく天安門事件に抗議し、ろうそく集会を何日にもわたってくり広げました。

田原　ああ、あの「ろうそく集会」抗議デモは、むしろ荘厳なほど強烈でしたね。

遠藤　はい。あの荘厳さが力強いメッセージとして全世界に発信されていきました。このときアメリカも激しい抗議表明をしました。武力弾圧に抗議してアメリカで民主化運動に参加した中国人留学生たちにグリーンカード（永住権）を与えて、帰国後中国政府に拘束されないように緊急に手を打ったりしています。自ずとアメリカと香港の民主派が結びつくのは容易に想像がつくことでしょう。このとき香港の民主派のために手を差し伸べてくれたのが全米民主主義基金（National Endowment for Democracy）すなわち「ＮＥＤ」（民主主義のための全国基金）だったのです。李柱銘がＮＥＤと結びつかない方がおかしい。

田原　中国は盛んに香港デモの背景にＮＥＤがいると非難していますが、それは本当ですか。

遠藤　ＮＥＤが煽っているから香港の若者がデモを起こしているという北京の言い方は正しくないと思います。天安門事件以来、香港市民が中国共産党を警戒し民主を求めているから、軍や資金など、何も持っていない香港民主派が自分たちを応援してくれるところに助けを求め、ＮＥＤと連携するというのは当然のことであり、悪いことだとは思いません。民主を求める者同士が助けあうのは、全世界どこでもあるべき姿であって、私はむしろ、この点においてこそ、日本が大きな間違いを犯していると、声を大にして言いたいのです。

日本が北京を強気にさせてしまった？

田原　ここに日本が関係してくるのですか？

遠藤　はい、まさに、ここにこそ関係してきます。しかも日本が世界の潮流を変え、中国共産党の一党支配体制を強固なものとすることに貢献したと私は思っています。中国が香港に最初に強硬な高圧的姿勢に出て、基本法第23条を改正させようとしたのは２００３年ですね。天安門事件は１９８９年６月４日。アメリカを中心とする西側諸国は残虐な武力弾圧をした中国共産党政権に対して強烈な糾弾姿勢を崩さず、対中経済封鎖を断行します。

ところが日本は早くも同年（１９８９年）７月に開催された先進国首脳会議（アルシュ・サミット）で当時の宇野首相が「中国を孤立させるべきではない」と主張し、武力弾圧をした中共政府を擁護する側に回ります。そして１９９２年10月に天皇陛下訪中という、世界を驚かせるような行動に出るわけですよね。それによって中国が息を吹き返し、一気に経済繁栄への道を駆け上っていったので、その兆しが見えた２００３年に、中国は「怖いものなし」として香港に基本法第23条という国家安全法に関する改正を求めてきたのです。

香港の民主と自由を奪うことに関して、北京を強気にさせ始めたのは日本です！

田原　それは日本の過大評価です。冷戦時に、つまり１９７１年に、ニクソン政権がそれまで敵視していた中国を抱き込んで、それまで台湾が国連に加入していたのを中国に切りかえた。ニクソンショックです。僕はよく覚えています。

遠藤　１９９２年の日本の対応のミスを弁明するのに、その20年前のニクソンショックを持ち出すのは筋違いではないでしょうか。ニクソン政権の過ちに関してなら、アメリカは既に「台湾旅行法」（注⑥）を制定したり「台北法案」（注⑦）を米議会で可決したりして、軌道修正に力を注いでいます。そこに共通しているのは、ニクソンが大統領再選のためにキッシンジャーに取らせた行動が正しかったのか否かという思想です。すなわち、「一つの中国」論が果たして正しかったのか否かという、根本的な考えにつながるのです。

私が申しているのは民主化運動が最大に燃え上がった天安門事件時の話で、相前後してベルリンの壁崩壊や共産主義国家の最高峰・旧ソ連までが雪崩《なだれ》を打って崩壊した。中国の一党支配体制も崩壊寸前まで行ったのに、それを食い止めてあげたのが日本だったということです。日本人として、日本の外交戦略が間違っていたのか否かを真っ正直に考えるべきです。「アメリカがどうだから」と他人のせいにしてはいけない。

第2章の「図表2－1」（89頁）や第6章でも詳述しますが、中国は実に周到に1992年の外交を練り上げ、今日の繁栄につなげたのです。日本にはその長期的展望や外交戦略がなかった。日本は今、窮地に立った習近平を国賓として招くことによって一党支配を正当化させ、再び同じ過ちを犯そうとしているのです。

田原　いやいや、そうは言いますが、天安門事件後、海部内閣のときにいちはやく国際的な経済封鎖を解き、天皇訪中までこぎつけたのは、一つは過去の不幸な戦争の最終的な和解策として、国交回復した条約に加えて、日中の感情的な関係を清算し、完全和解に持ち込むためです。

遠藤　過去の戦争と仰いますが、日中戦争で日本が戦った相手は国民党の蒋介石《しょうかいせき》が率いる「中華民国」です。「中華人民共和国」は日本敗戦後の１９４９年に誕生した国であって、日本という国家と戦ったことはありません。

私は『毛沢東　日本軍と共謀した男』という本の中で明らかにしておりますが、中国共産党の毛沢東は、日本が、毛沢東にとっての政敵である蔣介石をやっつけてくれるので、とてもありがたがった。そこで周恩来《しゅうおんらい》の手下の藩漢年《はんかんねん》というスパイを上海《シャンハイ》に派遣して、日本の外務省所管の岩井公館の主・岩井英一氏に蔣介石の軍事情報を、こっそり伝えていたのです。岩井からは巨額の謝礼をもらい、それを印刷費に回してプロパガンダに力を入れていました。

中国共産党が人民に最も知られたくない事実を明らかにした私は、元おりました中国社会科学院からメールが来て「注意勧告」を受けました。中国では真実を言ってはならないのです。

中国共産党が、なぜあれだけ言論弾圧をしているかというと、一つには、この事実を人民が知ったら、「人民を裏切ったのは中国共産党だ」として、共産党政権を転覆させようとするかもしれないからです。中国共産党は戦略的ですから、早くから日本を利用することしか考えていません。中国に日本との完全和解など、絶対にありません。どこまでも日本を利用しようという強《したた》かな気持ちしかないのです。

（注⑥）【台湾旅行法】　２０１８年３月にトランプ大統領が署名して成立したもので、アメリカが１９７９年の米台断交と台湾関係法の成立後、米台高官の相互訪問を自主的に制限してきたことの反省に立ち、あらゆるレベルのアメリカ当局者が台湾へと渡航し会談すること、および台湾高官が米国に入国し、アメリカ合衆国国務省および国防総省の職員を含むアメリカ当局者と会うことを認め、促す内容となっている。

（注⑦）【台北法案】２０１９年にアメリカ上下両院で可決された、台湾の外交的孤立を防ぐための法案。米国の権益に合致する前提のもと、台湾に不利な行動を取った国に対し、「経済や安全、外交分野における接触を減らす」ことを検討するよう、米行政機関に提言する内容などが盛り込まれている。

毛沢東は抗日戦争勝利記念日を祝ったことはない

田原　私はそうは思わない。天安門事件後の対中経済封鎖を解除させたのは、日本にとってもメリットがあったのです。一つには、経済的な交流の活性化があります。隣国として孤立させ関係が悪化すると、日本にとっても資源輸入や、製品輸出国として、経済交流面からデメリットが多くなりますから。「中国を孤立させない」と言う理由は、そういうことです。

遠藤　中国という国家と、中国人民とは別物です。人民は犠牲になった。しかし今現在の「国家」を形成している中国共産党を率いていた毛沢東は、日本が蔣介石を倒そうとして蔣介石の戦力を弱体化させてくれたので日本には感謝していました。日中戦争は中国共産党が主として戦ったなど、全くの捏造で、中国共産党の一党支配体制を維持するために、毛沢東の没後に江《こう》沢民《たくみん》が創り出した「抗日神話」にすぎません。

ウソと思うのでしたら、なぜ毛沢東時代には、ただの一度も「抗日戦争勝利記念日」を祝賀しなかったのか。そのことを考えてください。

田原　毛沢東は「抗日戦争勝利記念日」を祝っていないのですか？

遠藤　はい。死ぬまでただの一度も祝賀させませんでした。なぜなら抗日戦争（日中戦争）に勝利したのは蔣介石の「中華民国」だからです。それを祝うことは蔣介石を讃えることにつながる。だから許さなかった。また中国で言うところの、いわゆる「南京大虐殺」も毛沢東は絶対に触れさせなかった。もちろん研究を許さず、哀悼の念を表すなどしたら、いつのまにか消えているという結果を招きました。蔣介石が勝利したり、乗り越えたような真実を人民に認識させたくなかったのです。

実は私は中国共産党軍によって食糧封鎖された長春《ちょうしゅん》市で、地面いっぱいに敷き詰められた餓死体の上で野宿した経験を持っています。しかし、その客観的事実を書いた者は罪人になるのです。天安門事件を記録する人も罪人となります。天安門事件で息子を亡くした母親たちも、その事実を訴えたり悲しんだりすれば罪人となる。中国は中国共産党の恥部を隠すために言論弾圧をしているのです。

日本は中国が言論弾圧をする一党支配の国家だという認識がなさすぎる。そういった国が繁栄していけば、将来的にどのような恐ろしいことになるかということを大局的に考える視点がない。

田原　もちろん、天安門事件に関しては国際的な批判もありましたし、天安門事件の圧政は民主国家としてあってはならないことですが、結果、中国は経済的に潤い、現在アメリカも恐れるまでの経済大国になったのではないですか。

遠藤　だからこそ、いけないのです。天安門事件のときは中国共産党による一党支配体制を崩壊させることができる、唯一のチャンスだった。それを防いだのは日本です。**一党支配体制ではない、民主化した中国を応援する手段だってあるはずです。民主化された国家の中で生きる中国人民に手を差し伸べれば良かったではないですか。**そうすれば、中国共産党の幹部以外、全ての人がハッピーになったはずです。今の香港デモだって起こす必要はなかった。中国人民だって、長い目で見れば、その方が自尊心を守ることができて幸せだったと思います。その唯一の貴重なチャンスを日本がもぎ取ったことに変わりはありません。

一歩ずつ香港は北京に侵食されていく

田原　敵視していた中国を抱き込んだのはニクソン政権です。その意味では、アメリカこそ中国をつけ上がらせたのですよ。それに、日本には中国を変えるような力はありません。しかし、一度香港問題に帰りましょう。

遠藤　またニクソンですか。他国のせいですか。香港問題に戻るのは賛成ですが、「日本には中国を変えるような力はありません」というお言葉は間違っています。1988年から10年間、中国の外交部長（外務大臣）を務め、1993年から2003年まで国務院副総理（副首相）として江沢民に仕えていた銭其琛《せんきしん》が回想録（『銭其琛回顧録：中国外交20年の証言』東洋書院、2006）をまとめていますが、そこには明確に「天皇訪中が中国を危機から救った」ということと、「日本は最も結束が弱く、天皇訪中は西側諸国の対中制裁の突破口という側面もあった」と断言する形で書いています（前後の経緯は第6章でも詳述）。これは有名な話ですので、ウィキペディアでお調べになっても出てきます。

田原さんは、そういう大局的な視点をお持ちにならなければなりません。日本はアメリカの失敗の何倍にも及ぶさらにまずい外交を重ねている。だからこそ、安倍さんは「選挙民の票」と目先の利益に惑わされて習近平を国賓として招聘するなどということは考えるべきではないのです。

さて、香港問題ですが、要するに北京がどんなに高圧的に出たとしても2003年のデモで若者側が勝利した。そこで、勢いを得た反政府抗議デモ側は、中国共産党の色に染まるまいとして2011年に北京政府が愛国主義教育を香港にも持ち込もうとしたため、それに対して激しい抗議運動を何ヵ月にもわたって続け、これもまた廃案に追い込んでいます。

デモが長期化しても、デモ側が勝利してきましたので、その成功体験がさらに2014年の行政長官選挙の民主化を求めた「雨傘《あまがさ》デモ」につながります。しかし、このデモは成功しませんでした。今回の逃亡犯条例改正案への抗議デモも、愛国主義運動までの成功体験がありましたので、雨傘運動の失敗を取り戻したいという気持ちがあり、若者たちは容易には引き下がらないのだと判断されます。

田原　私は胡錦濤《こきんとう》政権時代に中国に行ったとき、3人の閣僚たちにお会いしたことがあります。このとき私は、「ロシアだって選挙制度を導入している。中国もやったらどうか」と言ったのですが、閣僚たちは「ロシアはゴルバチョフという変な人物が登場して、ペレストロイカなんてことをやったから、ソ連は解体した。中国共産党一党支配は絶対に覆さない」と言いました。

遠藤　そうです。中国という国家の最大の命題は「中国共産党による一党支配体制を永遠に維持する」ということです。全ての目的はそこに集約されています。だから日本は、その目的を達成させるために手を差し伸べるべきではないのです。田原さんお一人が中国の閣僚に一回や二回会って何か言ってみたところで、ビクともしません。

しかし日本が国家としてどう動くかに関してなら、日本国民の一人一人が安倍政権にものを言う権利と力を持っています。だから私たち国民は一人でも多くの人が正しい認識を持って発信していかなければなりません。田原さんはその点、一党支配体制を維持させる方向に発信されておられます。

ちなみに誤解しておられるようですが、中国でも選挙は行われているんですよ。投票率は

99％近いです。おまけに一人一票で投票しています。投票させて、投票率を上げるために、有権者が入院している病院まで投票箱を持って行って、ベッドのところで投票してもらったりしているほどです。

ところが日本の選挙などと全く違うのは、立候補をする人に共産党のコントロールや制限がかかっていることです。選挙管理委員会があって、「皆さん自由に立候補していいですよ」と言いはするけれども、実際に立候補できる人はフィルターにかけられるのです。今は香港も中国の選挙に近いスタイルになってしまったということです。こうして一歩ずつ、一国二制度期間（～２０４７年）が終わる前に、「北京」が香港に侵食していく結果を招いているわけです。

5

マカオには貧富の格差がない

なぜマカオ市民は中国に反感を持たないのか

田原　遠藤さんは冒頭で、香港とマカオとの違いは「貧富の格差があるか否か」にも問題の根源があると仰いました。では次に、マカオの貧富の格差などに関して伺いたい。

遠藤　はい、承知しました。マカオというのは、一人当たりＧＤＰが一時は世界一になったことがあるほど高く（世界銀行統計：２０１３年にはカタールを超えて世界一）、貧富の格差はほとんどありません。むしろ中国返還後に経済が急成長していて、税収が潤沢になったため、マカオ市民には教育費や医療費を無料化する高福祉政策を行うだけでなく、今日まで連続13年間もマカオ市民に毎年現金を給付しているくらいなんです。先日（２０１９年11月12日）もマカオ政府が発表していましたが、支給額は前年から据え置きの約13・５万円だそうですよ。

田原　そんなに？　カジノですか。

遠藤　はい、仰る通り、カジノですね。マカオにはカジノ税という潤沢な財源があるため、カジノ売上に関しては世界一のようですね。他にも、「所得税の減税、家庭用電気料金及び水道料金補助、交通系ICカード利用時のバス運賃の割引、医療クーポン券、個人年金口座への追加資金注入」といった施策があり、マカオ市民がマカオ政府に反感を持ったりする要素がありません。

田原　では、北京政府に対しても、反感はないということでしょうか？

遠藤　基本的にありません。むしろ北京政府を歓迎している。

田原　なんでまた？

遠藤　さまざまな原因がありますが、経済的視点から言いますと、中国に返還するときのタイミングもありました。くり返しになりますが、香港が中国に返還されたのは1997年7月1日。ポルトガルが返還されたのが1999年12月20日。わずか2年の差ですが、大きな違いがあります。その間に何が起きたか？

田原　その間というと……、ああ、アジア金融危機ですよね？

遠藤　仰る通りです。さすが常に全体を見渡しておられる最前線のジャーナリストです。まさにアジア金融危機です。香港が中国に返還された直後からアジア各国が激しい経済悪化に見舞われ、香港では株が暴落し、返還のスタートからまるで「中国返還の悪夢」のように香港市民は受け止めました。一方、マカオでもアジア通貨危機の影響を受けて、中国返還前は経済が激しく落ち込んでいました。

たとえば98年のＧＤＰ成長率はマイナス４・０％と、３年連続のマイナス成長となり、99

年に入ると失業率が 過去10年間で最悪の6・9%にまで落ち込みます。今でこそカジノ税で豊かな生活をしていますが、返還前はカジノがあるが故に逆に暴力団の抗争が絶えず、治安が悪化して観光客も激減するという最悪の事態になっていました。

田原 カジノと暴力団。よくある構図ですね。マフィア、シンジケートとアル・カポネのような世界ですな。

遠藤 われわれ歳が知れてしまうキーワードですが、昔懐かしいような「悪の世界」ですよね。同じようにマフィアの二大勢力がマカオにもいて、もうポルトガルの警察では手に負えない状況でした。だから一刻も早く中国に渡したかった。

田原 ポルトガルがマカオを中国に返還したがったということですか?

遠藤 そうなんです。実はポルトガルでは1974年にカーネーション革命というのが起きていますね。

田原 1974年4月25日に発生した軍事クーデターですね。あれでヨーロッパ最長の独裁体制を終わらせた。カーネーションをシンボルとしたので「カーネーション革命」と呼ばれていますが、「リスボンの春」とも呼ばれています。

遠藤 リスボンの春。きれいな響きですよね。あのあとポルトガル政府は民主化されて、当時所有していた全ての海外領土を放棄する方針を採ることになりました。だから中国に返還しようとしたのですが、まだ文革の真っ最中だったものですから、晩年の毛沢東にはそれだけの力がなかったのでしょう。今度は中国側が即時返還を断るんですよ。

田原　そんな経緯《いきさつ》があったんですか。

マカオと香港はこんなに違う

遠藤　はい。もっとすごい経緯もあります。文革期に香港で中共関係者が大暴れして緊急条例が発布されたように、実は同じ時期にマカオでも中共軍との間でイザコザが起きました。ポルトガルの軍警察が中国系住民に発砲して死者が出たものですから、毛沢東が激怒して「中国人民解放軍を出動させる」とマカオ側を脅したのです。すっかり国力を落としていたポルトガルは毛沢東に平身低頭。謝罪して犠牲者家族への慰謝料を支払ったり、発砲したマカオの警察幹部およびマカオ代理総督を国外追放したりなどします。その後、ポルトガル政府と友好的な関係を持った親中派実業家の何賢氏が強い影響力をマカオに及ぼすようなり、何賢は毛沢東と会見するなど、もうこの時代から「親中」一本やりだったのですよ。

田原　じゃあ、中国返還は順調に行われたということですね。

遠藤　そういうことになります。おまけに香港があれだけ激しいデモを展開して撤廃に追い込んだ香港基本法第23条に相当した「国家安全法案」に関する条項は、マカオの場合、大歓迎で受け入れました。そもそも中国に返還された後に、マカオのマフィアたちが北京の政府と警察と軍の支援で、あっけなく撲滅されてしまったので、マカオ政府としては中国共産党に大感謝している有り様です。

田原　マカオは受け入れたんですか。

遠藤　はい、喜んで受け入れています。治安が良くなったために北京政府には感謝していますね。なぜなら、そのお陰で観光客が激増し、カジノによる税収が考えられないほど潤沢になり、マカオ市民の民生向上に惜しみなく使っているので、マカオ市民側に北京政府あるいはマカオ政府に対する抗議デモなどが起きる隙間もありません。今後どうなるか、何か別の要素が入ってくるか否かは、なお考察の余地はあるとしても、現状としては、ご説明した通りです。

田原　マカオでは、裁判官に関しては、どうなってますか？

遠藤　マカオ返還の論議が起き始めたのも返還の実行も、イギリスより2年遅れで進んでいたため、どの国の法律に準拠するかとか裁判官はどうするかということに関しても、香港のケースをそのまま踏襲しています。ポルトガルの法体制はイギリスと違って「大陸法」（注⑧）と称します。その「大陸法」を50年間持ち込んで50年後に北京政府の法体制に切り替えることになっています。ところがマカオの立法会で国家安全法案を決議した後、それを裁くための法廷は「中国人」のみによって占められることになり、もう既に完全に大陸化しています。マカオの他の裁判所、たとえば最高裁判所には一人だけポルトガル人がいますが、他は中国籍マカオ人で、これも香港とはまるで違う状況にあります。

（注⑧）【大陸法】英米法（コモン・ロー）からみた場合の西ヨーロッパ大陸で発展・採用された法系をいう。ローマ法系に属し、成文法主義を特色とする。「シビル・ロー」とも称する。

【遠藤注】「普通選挙」に関する香港基本法とマカオ基本法の違い

香港における基本法とマカオにおける基本法には、実は詳細に見ると決定的な違いがある。それは行政長官と立法会議員の選挙において、香港基本法では「普通選挙」という言葉があるのに対して、マカオ基本法には、それに相当した文言が完全にないという事実から見て取ることができる。

まず「行政長官選挙」に関して、香港基本法では、

第45条　香港特別行政区行政長官は当地において選挙または協議で選出され、中央人民政府から任命を受ける。**行政長官の選出方法は香港特別行政区の現実の状況と順序に従って漸進するという原則に基づいて規定し、最終的には広汎な代表性をもつ指名委員会が民主的手続きによって指名し、普通選挙で選出するのが目標である。**行政長官の具体的な選出方法は、附属文書１「香港特別行政区行政長官の選出方法」に規定する。

となっているのに対して、マカオ基本法では、

第47条　マカオ特別行政区行政長官は当地において選挙または協議で選出され、中央人

民政府から任命を受ける。行政長官の具体的な選出方法は、附属文書1「香港特別行政区行政長官の選出方法」に規定する。

となっており、香港基本法第45条における**「行政長官の選出方法は香港特別行政区の現実の状況と順序に従って漸進するという原則に基づいて規定し、最終的には広汎な代表性をもつ指名委員会が民主的手続きによって指名し、普通選挙で選出するのが目標である」**という文言が完全に存在しないのである。

この原因は、基本法起草委員会の委員の中に、香港のようにイギリス政府の意向を受けた「民主派」に相当する委員がいなかったからだ。ポルトガル政府は、そのような意向を最初から持っていなかったということが、この違いに表れている。

次に、「立法会議員の選出方法」に関しても、香港基本法では第68条に、**「最終的に全議員を普通選挙で選出することを目標とする」**と謳っているのに対して、マカオ基本法の第68条には、この部分の文言が完全に存在しない。原因は「行政長官選挙」に関する背景と同じである。

このようにマカオにはポルトガル政府の意向を受けた文化的土壌があったことも影響しているが、だからと言って、基本法に「民主」を讃える「普通選挙」が謳ってないから反中デモが起きないのではなく、やはり貧富の格差や一人当たりGDPが与える影響は否めない。

だからこそなおさら、「経済的に成長すれば民主化する」とする論者たちの危険性が、そこに潜んでいると言えよう。

第2章

香港民主派圧勝と香港人権民主法を斬る!

1

香港民主派圧勝を受けて

香港区議選で民主派が8割超を獲得し、圧勝

田原　抗議デモが続く香港で、２０１９年11月24日にあった区議会選挙で民主派が全４５２議席のうち、８割を越える３８８議席を獲得しました。親中派が59議席、その他が５議席です。改選前は民主派が３割でした。

投票率が前回４年前を24ポイントも上回り、71・23％（登録有権者４１３万人）。投票前の予測を大きく上回り、民主派の大幅躍進です。

遠藤　はい、圧勝ですね。それにしても、サイレント・マジョリティが、こんなにまで民主派を応援していたというのは拍手喝采したいほど、誠に嬉しいことです。田原さんも仰っていたように、デモの後半ではデモ参加者の中に火炎瓶を投げたり交通を遮断させたり、あるいは店舗を破壊するなど、市民生活を妨害するような行動が目立ちましたから、ひょっとしたら一般市民は安定を望んで政府側に付くかと懸念される面もありましたが、そうではなかった。反中、反政府が圧倒的多数だったというのは、凄いことです。

この区議会選挙は直接投票で、最も民意を反映しますから、ある意味、半年間ほど続いたデモに対する市民の審判が下ったことになり、北京の惨敗とも言えると思います。

田原　遠藤さんは民主派が勝つと予想していましたか？

遠藤　一定程度票を獲得するだろうとは思っていましたが、しかしここまでとは思いませんでしたね。

田原　ほう、なぜ民主派が票を獲得するだろうと思ったのですか？　デモ隊は市民の日常生活を乱したので、安心して暮らせるよう、香港政府側を支援する人が多いだろうとは思いませんでしたか？

遠藤　思いませんでした。というのは先ほど（第1章で）も申しましたように、香港の貧富の格差は凄まじくて、ジニ係数は世界最高レベルの範疇に入るほどです。したがって香港の一般庶民の香港政府と北京政府に対する不満と嫌悪感は非常に強いんです。

私も何度か香港に行っており、香港中文大学の関係者や天安門事件に対する抗議活動を粘り強く続けている人たちなどと接触をしてきました。そういったさまざまなルートから多くの巷のナマの声を得る機会もあります。それらによれば、デモ陣営の中には薄給の職場を捨ててデモに命を懸けている若者もおり、親から反対されているために寝泊まりする場所がないという人もいます。そういう若者に声を掛け、狭い「鳩の籠」のような自宅に招き入れて寝る場所を確保してあげている庶民もいた。また籠城した大学キャンパスから抜け出すために若者をこっそり助けてあげた大学関係者もいれば、その若者を警察の追跡から逃してあげるために「俺の車に乗れ！」と無料で若者を運んであげたタクシーの運転手もいたようです。こういった巷の情報から、相当数の隠れ民主派がいるなと思っていました。

田原　ただ、この選挙は一人一票であるものの、小選挙区制なので、総得票数の比率は民主派3対親中派2になっているため、議席数と民意に多少のずれはあります。

遠藤　たしかに、それもまたもう一つの客観的事実ですね。正確な数字で言いますと、獲得議席数の増減とパーセンテージは、

民主派：388議席（263議席増）85・8％
親中派：59議席（240議席減）13・0％

であるのに対して、各陣営の獲得した投票数とパーセンテージは、

民主派：167万3，834票（57％）
親中派：120万6，645票（41％）

となっています。その差は46万7，189票でしかない。したがって、なかなか手放しで喜ぶわけにはいかないところもあります。

それでも勝利の原因として、多くの若者が投票に行ったことがありますので、それは注目しなければなりません。2014年の雨傘運動の失敗により、若者には諦め気分が漂っていて、前回の選挙では若者層の投票率が低かった。ところが今回は違う。若者層の投票率が飛躍的に

高くなっているのです。その原因は今般のデモの途中で逃亡犯条例改正案を撤廃に追い込んだという「成功感」があり、「闘えば勝利するかもしれない」という高揚感が若者の間に溢れて、それが区議会選挙を勝利に導いたのだと思います。これは今般のデモの大きな成果で、その意味でもデモ側が勝利した。香港の未来を担う若者が、北京を惨敗に追い込んだという事実は大きいです。

区議選の結果で流れが変わるか？

田原　区議会とは、地域の身近な問題、課題を、日本の国会に相当する立法会や行政長官に意見具申する機能で、立法権などはありませんが、２０２０年の行政長官選挙で投票資格のある選挙委員（１２００人）のうち１１７人は区議の互選で選ばれます。このままだと１１７人全員が民主派で占め、既存の民主派選挙委員を合わせると４４２人に増え、過半数には達しないものの、隠れ民主派を含めると、微妙な数になる。

遠藤　はい、その通りですね。北京政府はこれまで香港のデモ参加者を「暴徒」という言葉で表現し、ときには「テロリスト」という言葉を使って報道してきました。香港市民がどれだけこれらの「暴徒」を嫌悪しているかを証明し印象づけるために、数多くの「親中派庶民」にマイクを向けて声を拾い、これでもか、これでもかと、ＣＣＴＶなどで放映してきたのです。

それが区議会選で民主派が圧勝し、仰るとおり、北京が仕組んだ「選挙委員制度」を脅かすかもしれないので、北京は恐れをなしていますね。

田原　そうでしょうねぇ。大勢に影響ないのでは、と見ていた北京政府や親中派の危機感は高まっているだろうと思います。

遠藤　その通りですね。1200人の選挙委員によって行政長官が選ばれるという仕組みを作ったのが2014年の雨傘運動の結末でした。北京としてはこの「1200人」を「親中派」で固めておけば行政長官は「選挙委員の中における民主的な選挙という手段で親中派が選ばれる」という仕組みを作ったつもりでした。この親中派を北京は「愛国愛港」という言葉で表現しました。「国を愛し香港を愛する」という意味ですが、「国」はもちろん「中華人民共和国」で、「香港」は「香港政府」のことです。ですから、ここに区議会議員の互選によって民主派が入ってくると、これまでの北京の意図が崩れていく可能性がなくはない。

田原　北京の反応はどうでしたか？

遠藤　鳴りを潜めてしまったと言っていいでしょう。6月以来、デモ参加者を「暴徒」、ときには「テロ分子」とさえ位置づけて、選挙前日まで「香港市民はみな、これら暴徒に激しい怒りを覚えている」と叫び続けていた中央テレビ局ＣＣＴＶは、選挙結果が出た瞬間から、このテーマに関して突然ピタッと取り上げなくなりました。

また中国共産党機関紙「人民日報」傘下の「環球時報」の報道では11月26日に、「香港特区

第６回区議会選挙終わる」というタイトルで報道していますが、選挙結果に関しては触れていません。中国語で「終わる」ということを「結束」と表現しますが、この「結束」という文字を用いているだけでして、つまりは「終わった」という事実しか報道していないんです。

それ以外の特徴的な内容としては、５ヵ月にわたって、「暴徒」が外部勢力（＝アメリカ）の扇動により香港社会の分裂を図ったため経済や民生が著しく阻害され、選挙当日においても「暴徒」が「国を愛し香港を愛する」選挙候補者に暴力的行為を加えて選挙を妨害したということを強調していますが、これは１０００人以上の候補者の中で、一件だけあった小さな騒動を、選挙の総括にしているという有り様で、ほぼ「敗北宣言」に等しいですね。

譲らぬ北京、民主化の声が高まる香港

田原　北京は今後、干渉、介入を強めてきませんか？

遠藤　そうしたいところでしょうが、香港市民の審判が出た以上、強硬策は取りにくいのではないでしょうか。もっとも、先ほどの「環球時報」や「人民日報」あるいは「新華社通信」の報道などでは、一致して「目下の任務は暴力を制止して秩序を取り戻すことにある」という言葉で結んでいますから、少なくとも譲歩はしないという姿勢であることは確かです。

それと歩調を合わすように、林鄭月娥行政長官も「選挙の結果を重く受け止めている」とし

たものの、デモ隊側が要求している5つの要求の内一つに関してはすでに受け入れているので（逃亡犯条例改正案を撤廃している）、残りの4つの要求に関しては「これまで説明してきたとおりである」と言っています。つまり、雨傘運動のときに若者が要求した行政長官に関する香港市民による一人一票という直接選挙の実施や、抗議活動に対する警察の対応が適切か否かを調べる「独立調査委員会」の設置などについては、従来通り応じないということを言っているわけです。

田原　となると、今後の民主化運動の展望としては、どのようなことが考えられるでしょうか。

遠藤　米中を含めて、次の瞬間に何が起きるか分からない情勢が次から次へと湧き出ておりますので、確定的な未来予測をするのは困難ですが、しばらくは我慢比べといったところでしょうか。但し2020年9月には行政長官の選挙がありますから、それが近づけば、かなり本格的に反政府の機運がまた高まるでしょう。それに対して香港警察がこれまでと同じように暴力的で残酷な方法でデモ隊を抑えつけるようなことがあれば、香港市民はもっと強く政府に反感を持ち民主派を支持するようになるだろうことも、容易に想像がつきます。したがってこれまでのように、非人道的なまでに凶暴な暴力を用いて警察側がデモ隊を抑えこむことができなくなる。

習近平は米中の力関係でさじ加減をしていくでしょうが、何しろ日本が習近平政権を応援する形を取っていますので、中国はその分だけ強気に出る可能性は否めません。

香港民主化の唯一の方法

田原　しかし、いずれ「一国二制度」はなくなるわけですから。

遠藤　その通りですね。香港が１９９７年に中国に返還され「中華人民共和国香港行政特別区」になったということは、すでに「中華人民共和国（中国）」に組み込まれ、中国の領土となっているということです。ただ「制度」において「社会主義制度と資本主義制度」の二つの制度が「50年間」だけ継続するという約束事になっています。そして何よりも、その50年間の間は「民主と自由」に基づく「香港の自治」が守られるということになっている。つまり、２０４７年には「一国二制度」は完全に終わり、２０４７年7月1日午前零時を以て香港は完全に「中華人民共和国」の「社会主義制度」の管轄下に入るということが約束されているけれども、その瞬間までの「民主と自由」を守ることが優先される方がハッピーなのか、マカオのように、どうせ中国の統制下に完全に入るのなら、もう観念して今からそれに慣れておいた方がいいと考えるのか、どちらがいいのかという問題にもなります。

田原　いずれ中国大陸のものになるんです。

遠藤　たしかに、これはイギリスと中国という「国家間の約束」ですから、「国際社会における約束」ということが言えますね。それを破ることは容易なことではありません。日韓の間で韓国の要求が不当であるのは１９６５年に「日韓請求権協定」が結ばれていて、それを破ってはならないからです。それなのに英中間の約束は破れというわけにはいきませんよね。

田原　ですから、どんなに抗議したところで、「香港の民主化」は訪れないということになりませんか？

遠藤　残念ながら、一理あります。しかし、一つだけ道があるのです。

極端な話かもしれませんが、中国共産党による一党支配体制が崩壊すれば、「香港の民主化」は実現されます。一党支配体制が崩壊すれば当然のことながら、香港だけでなく中国大陸全体も民主化することになりますよね。

田原　そんなことは起きないでしょう。

遠藤　今となっては起きにくい。なぜなら中国大陸では現在、4・5億を超える人民が中間所得層になっていて、富裕層を合わせれば6億近い人が中国共産党支配の恩恵を受けていることになります。ですから習近平政権がどんなに言論弾圧をしても、今では大陸の内部から民主化が起きる可能性は大きくありません。そこまで中国を豊かにさせてしまったのは、先ほど（第一章）でお話ししたように日本なのですが、その中国の一党支配体制を崩壊させる力を持っているのはアメリカくらいしかないでしょう。民主化を求める香港の一般市民には武力もなければ財力もない。片や北京はアメリカに迫る軍事力と経済力を持つに至っています。

だからこそ今、アメリカ議会が決議した「香港人権・民主法案」が重要ですし、トランプ大統領が遂にそれに署名をしたということが、とてつもなく重要になるのです。もし世界が「民主と自由」を重視する方向に動けば、その過程で何が起きるか分からない。日本が国家として中国を応援しなければ、中国経済がどこかでポキッと折れないとも限りません。ソ連の崩壊を見ればお分かりになっていると思います。

でも日本は、習近平を国賓として招聘することにより、経済的にも技術的にも中国を応援する方向で動いています。これは即ち、中国共産党による一党支配体制の維持を支援する方向に向けてしか動いていないことと同じです。

中国国内外を問わず、経済的に豊かになった者が発言権を大きくしていく。その意味で、日本は言論弾圧の強化に力を貸しているのです。

【遠藤注】

「香港とマカオ」に関しては、二国間だけでなく、実は国連における決定という非常に大きな制約を受けている。１９７１年10月に中華人民共和国が国連に加盟してからというもの、中国は「領土」に関して、すさまじい勢いで動き始めた。その中の一つに「国連非植民地化特別委員会」があり、中国は１９７２年にその植民地リストから「香港とマカオ」を除外させることに成功している。植民地リストから除外したということは、すなわち、「香港とマカオ」が「独立するという道を潰した」ということを意味する。したがって、どんなに自由と民主を勝ち取っても、香港が自由と独立を得るには、「一党支配が崩壊した上で」、国連総会にかけなければならないことになる。

なお、関連する「国連非植民地化特別委員会」報告書は、

REPORT【OF THE SPECIAL COMMITTEE ON THE SITUATION / WITH REGARD TO THE IMPLEMENTATION / OF THE DECLARATION ON THE GRANTING OF INDEPENDENCE / TO COLONIAL COUNTRIES AND PEOPLES / VOLUME I / GENERAL ASSEMBLY / OFFICIAL RECORDS: TWENTY-SEVENTH SESSION / SUPPLEMENT No.23 (A/8723/Rev.1) UNITED NATIONS】

で、日本語で書けば、

報告書【植民地と人民に独立を付与する宣言履行特別委員会／第一巻／国連総会／公式記録：第二十七回（総会）／追録　第23号（Ａ／８７２３／Ｒｅｖ・１）国際連合】

となる。この報告書の中に明確に、

the Committee agreed that it should recommend to the General Assembly the exclusion of Hong Kong and Macau and dependencies from the list（この特別委員会は（国際連合）総会に対し香港とマカオとそれらの属領をリストから排した）

と明記してある。

2
香港人権・民主法案

なぜトランプは署名を先延ばしにしてきたのか

田原　２０１９年11月27日にトランプ大統領が香港人権・民主法案（注⑨）に署名したことに対して、香港政府、北京政府は猛反発しています。そこで、まず伺いたい。

この香港法案は、香港における逃亡犯条例改正案を巡る激しいデモが始まったその瞬間の６月13日に、共和党のマルコ・ルビオ議員らによって提案されたもので、10月15日に米議会下院を通過し、11月20日には上院でも全会一致で議決されていました。しかし、トランプ大統領はなかなか署名しようとしなかった。極めて消極的でした。なぜですか。

遠藤　なぜかというと、ちょうどそのとき米中貿易交渉が山場を迎えていて、トランプは「合意は寸前だ」と言って、トランプから離れようとしている票田の農家の人たちの心を取り戻そうと必死でした。その米中貿易交渉をアメリカに有利に持っていくためのカードとして使いたかったからでしょう。「譲歩しなければ署名するぞ」と中国側を脅して、農家が困っている農産品を習近平に爆買いさせて、次期大統領選に有利な成果を手にしたかったからに違いありません。

田原　ならば、なぜ署名したのか。

遠藤　香港法案に関しては、民主党議員だけでなく、共和党議員でさえ、全会一致で賛同しています。もしここでトランプ大統領が署名しなかったら、共和党議員からの支持が得られなくなる危険性があります。トランプ大統領としては、ウクライナ問題で弾劾《だんがい》を受けるか否かの瀬戸際に追い込まれており、もし香港法案署名を拒否し続けたら共和党議員から造反者が出ないとも限らず、そんなことになったら本当に弾劾を受けることになるかもしれないと計算したものと考えられます。

田原　もっとも、大統領が署名を拒否し続ければ、もう一度議会にかけて3分の2以上の賛成が得られれば、同法案は成立します。

遠藤　その通りです。しかしそのようなことになったら、「大統領は議会で否定された」ということになりますから、ウクライナ問題に関する弾劾に関しては、もっと厳しい状況に追い込まれます。そこでトランプ大統領は観念したものと推測されます。

その心情を裏づけるような言動は、トランプ大統領の「習近平国家主席と香港市民への敬意をもって法律に署名した」という奇妙な声明に現れているように思われます。おまけにトランプ大統領は香港法案の執行は「大統領権限に委ねられている」という条件までつけて、「実行しないかもしれないので、習近平さん、譲歩してね」と心の声を発しているように見えますね。

「譲歩して爆買いしてくれないと、米中貿易で成果を出せなかったとして、俺は大統領に再選されないことになってしまうかもしれないのだよ」という声が聞こえるようです。
しかし署名をしたという事実は、世界に、特に中国に衝撃を与えました。

（注⑨）【香港人権・民主法案】　香港法は基本的に、１９９２年にアメリカで制定された「香港政策法」に定められた原則が守られているか否かを再確認するものだが、具体的には主として以下のような内容が含まれる。
・香港に高度な自治を認める「一国二制度」が機能しているか否か、アメリカ政府は毎年検証をすること。
・香港で人権侵害などを犯した人物をアメリカ政府が議会に報告し、アメリカへの入国禁止やアメリカにおける資産の凍結などの制裁を科す。
・香港政府が再び逃亡犯条例改正案を提案した場合は、香港在住のアメリカ人を保護する戦略をアメリカ政府が策定する。
　１９９２年の「香港政策法」では、アメリカは香港に対して関税・ビザ発給などにおける優遇措置を提供することが決められていたので、今般の香港法により、「一国二制度」により保障されているはずの「香港の高度の自治」が守られていないとすれば、それらの優遇策を見直すということにつながる。

ダブルパンチで怒り炸裂の中国政府

田原　そこですよ。北京の反応を紹介してください。

遠藤　中国の怒りは炸裂せんばかりで、報復措置を警告し、激しく威嚇《いかく》していました。そうでなくとも香港法案が下院や上院で議決されるにつれて、中国は激しくアメリカに抗議し、なんとかトランプ大統領が署名しないように厳しい糾弾を叫び続けてきました。

たとえば11月22日の「人民日報」は「王毅《おうき》、米議会が香港人権・民主法案を議決したことに関して厳正なる（中国の）立場を表明した」という見出しで報道していますし、また11月25日の「新華社通信」は「人民日報の署名文書：暴力を扇動する悪行は、必ず国際社会から唾棄《だき》される（忌《い》み嫌われ蔑《さげす》まれる）」という見出しで、米議会が「２０１９年香港人権・民主法案」を採決したことを、口を極めて糾弾しています。「これは暴力を肯定し中国の内政に干渉するものであり、正義に反する行為だ」と、長々と批判が続いています。

11月25日に香港民主派の圧勝が決まると、それを掻き消すかのように、報道は炸裂せんばかりに激化していきました。

田原　なるほど。北京としてはダブルパンチですな。

遠藤　はい。香港民主派の圧勝が決まった翌日の11月26日には、「米議会が米大統領に香港人権・民主法案に署名しろと呼び掛けていることに関する外交部の回答」という見出しの記事を多くのメディアが報道しています。ここでは定例記者会見における外交部の耿爽《こうそう》報道官が、会場にいる記者から、香港民主派の区議会選挙における勝利に触れながら質問を受ける場面があります。そのため、耿爽報道官は実に腹立たしい表情で、アメリカ行政部門の中国委員会（ＣＥＣＣ）がトランプ大統領に署名を催促しているとして、「アメリカはいい加減で情勢を見極め、懸崖勒馬《けんがいろくば》せよ（崖っ淵から馬を引き返せ＝瀬戸際で危険を悟って引き返せ）！　香港人権・民主法案が成立するのを阻止せよ！　香港に手出しをするような如何なることもやってはならない！　中国の内政に口を挟むな！　もしアメリカが独り我意を押し通す（一意孤行）なら、中国は必ず強力な措置を取り、断固として対抗する！」と、声を張り上げて抗議しています。

田原　署名前から、そのように言っていたのですか？　日本では署名後の言葉として「断固として報復措置を取る」と報道されていますが、同じ言葉ですか？

遠藤　はい、同じ言葉です。中国語では「報復」という言葉は使っていません。署名前も署名後も同じ表現で「必ず強力な措置を取り、断固として対抗する」という言葉しか使っていませんが、実質上「断固として報復措置を取る」と言ったのも同然なので、日本人的には「中国が報復すると言っている」というメッセージの方が、頭に入りやすいので、そう報道したのでしょう。まあ、ここは「対抗＝報復」と置き換えてもいいと思いますね。

25日に結果が出た香港民主派の圧勝を掻き消すためにも、北京としては「さあ、署名できるものなら署名してみろ」と脅しをかけてきたつもりでしょうが、その甲斐もなくトランプ大統領は署名してしまった。ダブルパンチもいいところで、その怒りが、どんなに激しく炸裂したかは、想像に難くないですね。

田原　アメリカ時間で27日ですから、まあ日本や中国の時間として28日以降は激しさを増したわけですね？

遠藤　その通りです。北京政府の外交部は正式のウェブサイトで外交部声明（２０１９年11月28日）を発表しています。一般のコメントとか論評、抗議文と違って、「声明」という形で出していることは、注目に値します。完全な外交問題として「喧嘩」し兼ねない勢いでした。「人民日報」やその傘下の「環球時報」、「新華社」や中央テレビ局ＣＣＴＶも一斉に激しく激高して怒りを露わにしました。

深圳・香港・マカオをつなぐ「グレーターベイエリア」構想

田原　僕は香港の未来を悲観的に捉えているのですよ。混乱がどこまでも続いたら富裕層が香港から出て行くのではないか。アメリカとか東南アジアのシンガポールなど華僑などが多い国々へ。そうすると、香港は衰退していくことが予想されます。

遠藤　かなりの人がもう出て行ってしまっています。しかし中国はそれを見込んで、早くから「グレーターベイエリア」経済構想という国家戦略を動かしています。

「グレーターベイエリア」とは中国語で「粤港澳大湾区《えつこうおう》」と書くのですが、粤が広東（深圳）、港が香港、澳がマカオ（澳門）です。この３地点を中心として新たに経済特区を創ろうとしているのです。

深圳は中国のシリコンバレーと言われるほど、ハイテク産業に関して最高の技術力と経済力を持っています。香港は国際金融センターの中心的な存在で、海外から中国本土に流れ込む資金の67％、約７割が香港経由となっています。したがって中国にとって香港は外資導入窓口として貴重な存在なのですが、しかしあまりに反中・反政府デモが起き過ぎる。そこで中国は、マカオに香港の役割を徐々にシフトしていって、「粤港澳」の三地点で自由市場取り込みを図ろうとしています。

田原　マカオにシフトするのですか？

遠藤　ええ、中国はそうしようと考えています。なぜなら香港だと、常にアメリカが口出ししてくるからです。香港には８７５４社の域外企業がありますが、アメリカは１３００社ほどが香港に進出していて、従業員やその家族などを含めると約８万５千人のアメリカ人が住んでいます。もっとも、日本は１３９３社でアメリカよりも多いのですが、英語環境のせいもあるのでしょう、日本人は２万８千人ほどしか住んでいません。

何よりもアメリカ政府は香港返還時に「香港政策法」を制定しており、今般もまた「香港人権・民主法」成立とか、北京政府にとっては「やかましい」わけです。中国としてはこれをどうにかしたい。そこで中国は「グレーターベイエリア」構想で、アメリカからの干渉から逃れようとしています。

田原　そんなことを考えているんですか。

遠藤　深圳、香港、マカオの3大都市の内、マカオにだけはまだ証券取引所がない。しかしマカオは外貨を自由に扱うことができます。だから今後は、金融センターの役割を徐々に香港からマカオにシフトさせる腹積もりでいます。そうやって徐々に香港を「骨抜き」にしようと考えています。国際金融センターの機能がマカオに移動すれば、それと同時に、香港の影響力は失われていきますから。

田原　マカオに証券取引所を創るのですか？

遠藤　はい、そうです。中国はそのつもりで、早くから「ポルトガル語圏共同体」を打ち立てて、マカオ証券取引所を創ろうとしているのですが、どうしても一つだけネックがあります。

田原　どのようなネックですか？

遠藤　何度もお話ししてきた「コモン・ロー」です。ポルトガルは前にも（58頁）申しました通り「シビル・ロー（大陸法）」系列ですので、このことがネックになっています。

田原　コモン・ローだの、シビル・ローだのと、ややこしい話ですが、香港もマカオも、いずれ中国大陸に統一されるんだから、あまり関係ないのではないですか？

遠藤　いえ、香港はまだ28年間ありますし、マカオに至っては、あと30年間もあります。その間に法体系が投資環境に合っていないとまずいのです。

一方、中国は国外にも投資しています。その代表的な事例として挙げられるのは、中国が独自に推し進めているグローバル経済圏「一帯一路」です。「一帯一路」を資金面で援助するために創設されたのが、ＡＩＩＢ（アジアインフラ投資銀行）で中国が主導して創設しました。またシルクロード基金も加わって、海外に出る融資や投資は巨額になります。この資金は年々、増加していくことが予想されますが、中国としては、将来的には香港には、巨額のインフラ投資とかの出口の役割を担う方向へとシフトさせていきたいと考えています。

田原　それは衝撃的な戦略です。だから遠藤さんは、マカオでは反中・反政府的な抗議運動が少ないところに目を向けなければならないと言ってるわけですね。

遠藤　はい、そうです。おまけにマカオには欧米の柵《しがらみ》、特にアメリカの干渉がない。だから北京政府はマカオを絶賛し、マカオを重視し、法体系を何とかしようと考えています。

田原　すごい話ですね。日本とアメリカは中国主導のＡＩＩＢに加入していません。日本はＡＤＢ（アジア開発銀行）に出資しているが、イギリス、フランス、ドイツなどヨーロッパの国などでＡＩＩＢに参加する国が増えています。

遠藤　人民元は２０１６年にＩＭＦのＳＤＲ（特別引き出し権）通貨バスケットに入り、引き出し可能になりました。人民元がどんどん国際化していけば、当然中国の力が大きくなっていきます。まだドルの力には遥かに及びませんが、「一帯一路」圏内において、人民元で取引できる場所を増やそうとしています。

田原　人民元は自由利用可能通貨として、米ドル、ユーロ、日本円、英・ポンドとともに5番目の構成通貨で加わりました。

遠藤　人民元を国際通貨入りさせるため、中国はイギリスをテコに使ったのです。SDR入りを可能ならしめたのはイギリス・ロンドンの国際金融街シティです。イギリスはEU離脱、経済の低迷など問題を抱えています。かつての香港の宗主国、イギリスと中国は今や、力関係が逆転しています。

田原　くり返される香港デモを契機に、香港からのシフトを考えるようになったわけですから、長い目で見れば、基軸通貨ドルに対抗して、もちろんユーロもありますが、人民元の存在感を高めるためには、思い切った決断ができた、と思っているかも知れません。

遠藤　北京政府は、いずれ現行の人民元ではなく、全く次元の異なるブロックチェーン（注⑩）による「法定デジタル人民元」で勝負しようと考えています。もしこれに成功すれば、金融界において米中の優劣関係が一瞬で逆転する危険性を秘めています。だから日本はいま国家として中国を応援するようなことをやってはならず、習近平を国賓として招くようなことを絶対にしてはなりません。

（注⑩）【ブロックチェーン】　金融取引などの記録をコンピューターのネットワーク上で管理する技術の一つ。インターネット上の複数のコンピューターで取引の記録を互いに共有し、検証し合いながら正しい記録を鎖（チェーン）のようにつないで蓄積することで、記録改ざんや不正取引が防げる仕組み。「分散型台帳」ともいわれ、暗号通貨（仮想通貨）の取引には欠かせない技術である。

【遠藤注】

12月2日、中国政府は報復措置として「米軍の艦艇や航空機が整備のため香港に立ち寄ることを一時拒否すること」や「香港の民主派デモを支援しているアメリカの非政府組織（NGO）などに制裁を科すこと」などを決定し、即日実施したと発表した。制裁対象のNGOは「全米民主主義基金、国際共和研究所、国際人権団体ヒューマン・ライツ・ウオッチ、人権団体フリーダムハウス」などである。中国外交部はこれらのNGOが「中国に反対し香港を乱す分子を支持し、極端な暴力犯罪行為に従事するよう教唆し、香港独立の分裂活動を扇動した」と断言した。

しかし、あれだけ激しく「報復措置」と叫んだ割には、呆気にとられるような、ほぼ「無害」と言うか、実害がないとも言える「措置」でしかない。

これはおそらく、トランプ大統領が「法を執行する権限は大統領にある」として法の実行を留保しているため、まだトランプの意思一つで「実行に移さないだろう」と中国側が踏んでいるからと、もう一つには米中貿易協議「第一段階」の合意が間近に迫っていたせいであろうと思われる。

なお、12月14日になると香港の行政長官・林鄭月娥は北京に向かい、16日にかけて、習近平や李克強と会談した。習近平は林鄭月娥の功績を讃え、断固として「一国二制度」を貫くと宣言した。そして2019年11月14日にBRICs（ブリックス）会議において「香港のデモを収拾させなければならない」と発言したときのメッセージがすべてだと習近平は語った。当時の発言内容は以下の通りだ。

——香港で連続して発生している過激な暴力的犯罪行為は、法治と社会の秩序を著しく踏みにじり、香港の繁栄と安定を破壊し、一国二制度の原則のボトムラインに挑む許しがたい行為である。暴乱を収拾し、秩序を回復するのは、香港にとっての最も逼迫した焦眉の急を要する任務である。われわれは行政長官が率いる香港特別行政区政府が法に基づいて引き続き施政を行うことを断固支持し、香港の警察が法に基づいて厳格に行動し、香港司法機構が暴力犯罪分子を厳格に処罰することを断固支持する。中国政府が国家主権と安全と発展利益を守る決意は絶対に揺るがない。一国二制度を貫く決意も絶対に揺るがない。そして如何なる外部勢力も香港の業務に干渉することを許さないという決意も揺らぐことは絶対にないのである。

このことから、少なくとも習近平の香港問題に関する意思は不変のものとみなしたほうがいいだろう。

このような状況下にあって、日本は習近平に「温い手」を差し伸べ国賓として招聘しようとしている。これは「習近平の香港弾圧に、日本は全面的に賛同します」というメッセージを世界に送ることになるのである。

それでいいのか？

3

習近平国家主席を国賓として招聘すべきではない

日本は中国共産党のやり方を認めるのか

田原　ところで、日本は香港に対する法的な圧力をかけられる根拠を持っていませんが、日本企業が数多く進出する利害関係者でもあります。今後は民主化問題に関して、国際的な協力外交や、北京政府への働きかけも必要になってくるかもしれませんが、遠藤さんは日本がどのような姿勢をとるべきとお考えですか。

遠藤　よくぞ聞いてくださいました。私は「こんなときに、日本は何を考えているのか」と言いたいですね。つまり香港ではあれだけ長い期間を耐え抜いて若者が北京政府からの圧力を撥《は》ね退け、「自由と民主」の叫びを貫きました。その若者を応援すべく、アメリカでは香港法が成立して、民主・共和両党が力を合わせて、中国の一党支配体制に抗議を表明しています。このような国際情勢の中、日本だけが「日中関係は正常な軌道に戻った」と宣言し、安倍首相は習近平国家主席を国賓として招聘すべく赤絨毯《じゅうたん》を敷いている。それが国際社会に如何なるシグナルを発することになるのかを考えていただきたい。中国共産党のやり方を、日本だけが肯定し、賛同しているということを表明しているのと同じなのですよ。

田原　いったい何が悪いんですか。大変結構ではないですか。中国は東アジアにおける隣国で、今や安全保障、平和、そして経済的な関係においても、密接な交流、相互依存の関係にあります。中国には日本の企業も多数進出しているし、日本製品の大消費地でもあります。最も重要な経済的パートナーとも言える国の一つです。

アメリカも同様ですが、ことさら中国と友好・交流を一層深めることは、日本の国益、未来の国の発展のためにも欠くことができない重要事項、言わば切っても切れない関係です。このことをしっかり頭に入れて対中関係を考える必要があります。

遠藤　これはまた、おそるべき見解の相違ですね。もっとも、相違があるのは見解を鮮明にすることができるので、歓迎すべきことではあります。議論をする価値があるので、面白い。

ところで、先ほども申したように、香港の若者が勝ち取った勝利は、「２０４７年には一国二制度さえ終了してしまい、香港は完全に北京の、つまり中華人民共和国という社会主義体制の中に組み込まれて中国共産党による完全な支配の下に置かれる」という結末で終わりを告げるのです。それを未然に防いであげたいとは思いませんか？

アメリカ議会が超党派で、中国共産党による独裁体制を打破し、言論弾圧や人権弾圧の国が人類を支配してしまわないように全力で努力しても、日本がいつも、田原さんが仰るような視点で論理構築して、結果として中国に手を差し伸べるので、中国はどんなにアメリカにやられても怖くないのです。習近平国家主席の「日本があるから大丈夫」という声が聞こえてきそうです。

田原　トランプのアメリカは、中国に大妥協しているじゃないですか。ペンス副大統領の演説だって、一年前とは違って、腰砕けで、中国を認めている。

遠藤　何を仰っておられるんですか。次章で詳細に述べますが、ペンス演説の基本は激しい対中攻撃です。ただ最後の項目だけが対中譲歩的になっているに過ぎません、それは演説後すぐにチリで開催されることになっていたAPECで米中首脳会談を行う予定でしたから、そのときに習近平から譲歩を引き出そうという直近の目的があったからです。その部分だけを切り取って、ご自分の主張を正当化すると言いますか、都合の良いように取り扱うのは、ちょっと事実歪曲と言いますか、やや近視眼的視点ではないでしょうか。まるで「アイツもそうだったから、俺だってそうして良いんだ」的な理屈をこねているようで、賛同できませんね。あとで述べますが、アメリカはハイテクや軍事において中国に脅かされるのを極端に警戒していますので、大局的見地に立ったときには、アメリカは決して妥協することはないでしょう。

それよりも、「日本自身がどうすべきか」を自分自身の目で論じなければなりません。

たとえば、次のグラフ（図表2－1）をご覧ください。これは2016年に中国の中央行政省庁の一つである商務部が出したデータです。何度もくり返して申し訳ありませんが、1989年6月4日の天安門事件を受けて西側諸国が対中経済封鎖に出たときに、それを最初

図表２-１　中国が吸収した外資の年平均増加率と平均投資規模

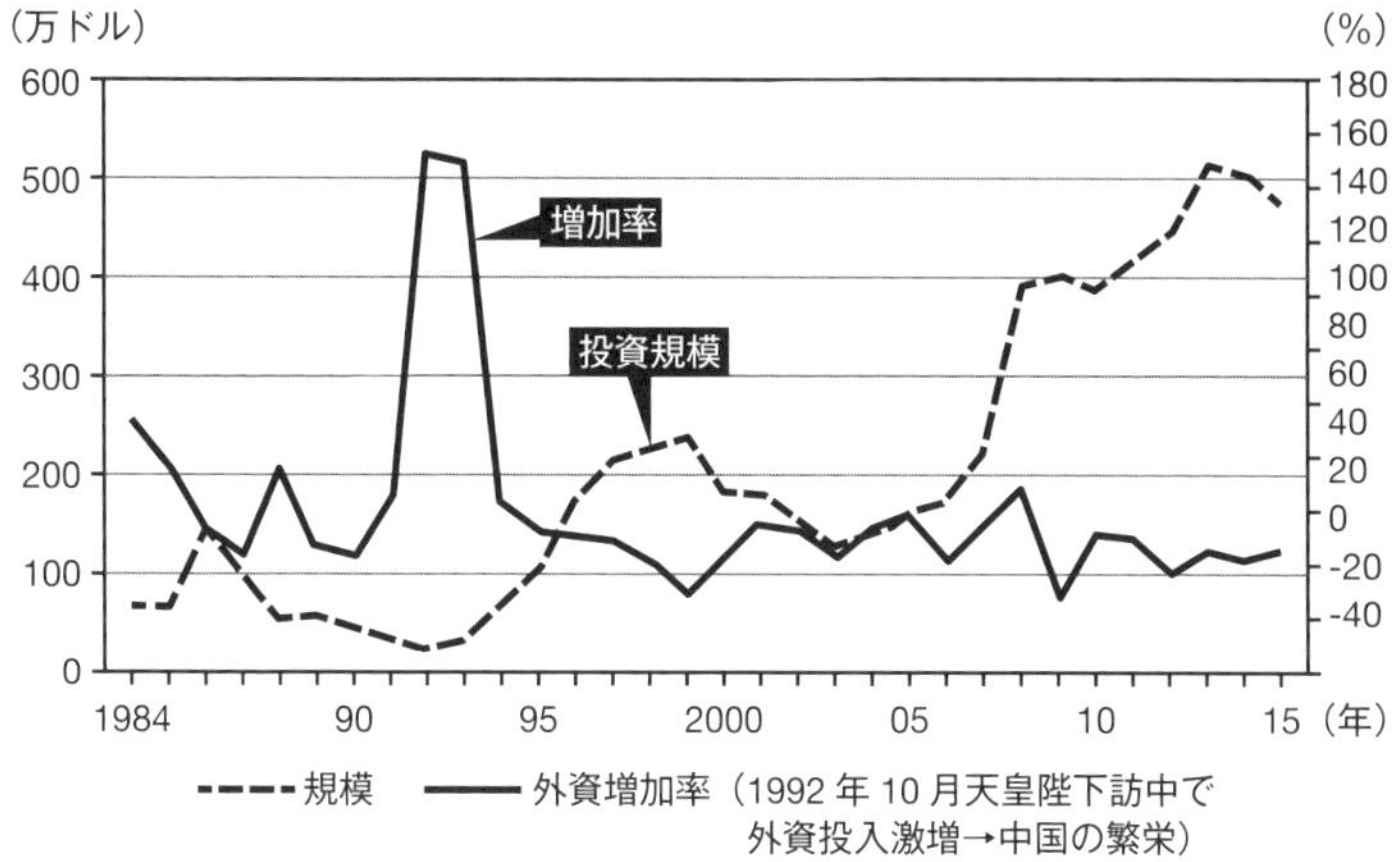

出典：中国商務部

に破ったのは日本です。当時の宇野首相は経済界のニーズに押されて「中国を孤立させるべきではない」と主張し、１９９１年には海部首相が円借款《しゃっかん》を再開し、西側諸国から背信行為として非難されました。さらに１９９２年10月には天皇陛下訪中まで実現させてしまう。すると中国の目論み通り、アメリカも直ちに対中経済封鎖を解除して、西側諸国はわれ先にと中国への投資を競うようになるのです。

このグラフの１９９２-１９９３年の所に、まるで特異点のようにピークがあるのはそのためです。

くり返しになりますが、当時の銭其琛《せんきしん》外相は、回顧録で「天皇訪中は対中経済封鎖を打破する上で、非常に積極的な作用を発揮した」と述べていますし、「日本は最も結束が弱く、天皇訪中は西側諸国の対中経済封鎖の突破口となった」と、当時を振り返っているのです。

西側各国は中国に抗議している

田原　だからと言って、それは決して中国の一党独裁、人権抑圧的体制を認めることではありませんよ。このたびの件に関しても、私の知る限りでは、日本政府は機会をとらえて、自由や民主化の大切さを申し入れています。ただ現状の習近平体制下では、「内政干渉」「国内問題である」と、突っぱねられているのが現状です。

遠藤　個人的な話し合いの場で、言葉で何か言っても如何なる効果もありません。本当にそう思うのなら、国際社会に見える形で、行動で示さなければなりません。

また中国はアメリカに対しても激しく「内政干渉」「国内問題である」と突っぱねてアメリカを糾弾しています。それでもアメリカはひるまない。香港法を成立させました。

ところが日本は、たとえば11月28日、記者からの香港法成立に関する質問に、菅官房長官は「他国の議会の動向について政府としてコメントは控える」としつつ、2020年春の習近平国家主席の国賓来日への影響に関しては「考えていない」と答えています。

つまり、このような国際情勢の中にあっても、安倍政権は習近平を国賓として招聘することを断念していないのです。それがどのようなシグナルを全世界に発信していくか、安倍政権には熟考していただきたいと思います。香港の民主と自由を踏みにじる中国の国家主席を、日本が熱烈に歓迎するということは、習近平政権による言論弾圧や人権弾圧を肯定するというメッセージを全世界に発信するに等しいのです。

ＥＵ離脱で経済が混迷を極め、中国に頼るしかなくなっていたイギリスでさえ、11月25日、中国西部の新疆ウイグル自治区に、国連監視団が「即時かつ無制限にアクセス」できるよう、中国政府に求めています。フランスやドイツもイギリスに続きました。

まさに「西側諸国」がこうして勇気を出して、経済的に強くなってしまった中国に「自由と民主」を厳しい具体的な形で要求しているというのに、日本は「自由と民主」を踏みにじる中国におもねり、その国の国家主席を国賓として招き、中国の言論弾圧と人権蹂躙《じゅうりん》にお墨付きを与えようとしているのではありませんか？

言葉だけで社交辞令的に「民主や自由の大切さ」など告げても、相手は痛くもかゆくもないでしょう。

中国共産党政権の民主化は幻想でしかない

田原　そうは思いませんが。安倍首相も、台湾の自立を認めず、ウイグル問題のある中国を肯定しているわけではないと思いますが、国賓として迎えるのはやむを得ないのではないですか。

遠藤　「安倍首相も、台湾の自立を認めず」って、それは「台湾独立を認めない」ということですので、まさに安倍さんは「習近平に大賛成です！」と誓っているようなものですよね。北京政府と完全に同じ立場に立っているわけではないですか。

もっとも安倍さんが習近平と会談するときには、まず習近平側から「日中は四つの政治文書を堅く守らなければならない」という趣旨の発言があります。安倍さんがそれに同意して初めて会談が始まります。この「四つの政治文書」には「１９７２年の日中共同声明」や「１９７８年の日中平和友好条約」などが含まれていますが、それらに共通しているのは「一つの中国」を認めることです。

つまり安倍さんは会談の前にまず「私は台湾独立を認めません。台湾は中国（中華人民共和国）のものです」と宣誓してから習近平と話し合いを始めるのです。

ですから田原さんが今おっしゃった「安倍首相も、台湾の自立を認めず」というのは、「私は習近平国家主席と共にあり、習近平国家主席と共に日本は台湾を切り捨て、台湾が中国のものであることに大賛成することを誓います」と言っているのと同じなのです。

したがって、田原さんは「国賓として迎えるのはやむを得ないのではないですか」って仰るけど、「やむを得ない」どころではなく、田原さんは「習近平を国賓として迎えるのは大賛成です」と仰っているのと同じことになるのですよ。

もし台湾が中国大陸に呑み込まれたら、中国にとっても対米防衛ラインであるところの第一列島線（注⑪）は確実に中国が握ることになります。となれば尖閣諸島だけでなく、沖縄まで中国が掌握することになるでしょう。

日本の国運に関わるような「台湾」の存在を、そこまで蔑《ないがし》ろにしていいのかという問題です。私はその意味でも習近平を国賓として日本に招くことなど絶対に反対ですが、田原さんは、このような日本の危機を見て、なお賛同なさるのですか？

田原　実は、櫻井よしこさんや青山繁晴さんなど、安倍シンパの多くが遠藤さんと同じように反対している。産経新聞も反対です。しかし、安倍さんとしてはやむを得ないのではないかな。

遠藤　そのような方たちが反対してくださっているのは、誠に頼もしい限りです。実は私自身、安倍首相を応援していますよ。彼以外に、なかなか総理の器にふさわしい人物がいないですからね。それでも、この習近平国賓招聘には私は反対です。その声を安倍さんは謙虚に聞いてほしい。さもないと、せっかくの輝かしい業績に汚点を残します。

田原さんは「安倍さんとしてはやむを得ないのではないか」という、安倍さんの気持ちを慮《おもんぱか》る主張ではなく、一国民として、一ジャーナリストとして、ご自分の見解を述べていただきたいです。

それに、「なぜ国賓でなければならないのかという理由」もまったく見当たらないし、安倍さんは説明していません。安倍さんには、その説明義務があります。

田原　では、のちほど改めて議論しましょう。次に、世界の注目を集めた２０１９年10月のペンス米副大統領の演説を分析することにしたいと思います。

（注⑪）【第一列島線】　中国の軍事戦略上の概念のことであり、戦力展開の目標ラインであり、対米防衛線。第一列島線は、九州を起点に、沖縄、台湾、フィリピン、ボルネオ島にいたるラインを指す。

第3章

ペンス演説を斬る!

1

ポスト「新冷戦」なのか

ペンス副大統領演説で中国が「攻撃的、攪乱的」と非難

田原　アメリカ・トランプ大統領の側近であるペンス副大統領が2019年10月に、ワシントンにあるシンクタンクの一つ、ウイルソンセンターで「米中関係の将来」というテーマで演説をしましたね。

1年前に、やはりワシントンのハドソン研究所で演説しています。その時はアメリカvs.中国の「新冷戦」宣言をしました。

1年後になる今度の演説で、「中国は経済関係改善のための意味のある行動をとっていない、その他の多くの問題では、中国はさらに攻撃的で、攪乱《かくらん》的な行動になった」などと、より強い調子になりましたね。この演説を遠藤さんはどう見ていますか。

〈ペンス副大統領演説の概要〉

1．20年間にも至らない短い期間の間に、「世界史上最大規模の富が移動した」。過去17年間の間に中国のGDPは9倍にも膨れ上がっている。これはアメリカの投資が可能ならしめたものだ。

2．北京はアメリカに4000億ドルにも及ぶ貿易赤字をもたらしたが、これは全世界の貿易赤字の半分に至る。われわれは25年間を使って、中国を再建したのだ。これ以上に現実を表している言葉はないが、失ったものは戻らない。

3．しかし「失ったものは戻らない」という言葉は、ドナルド・トランプ大統領により覆されるだろう。アメリカは二度と「経済的接触（という手段）のみに頼って共産主義国家・中国を自由な西側諸国の価値観に基づく国家に転換する」という望みを持つことはない。それどころか逆に、トランプ大統領が2017年の国家安全戦略で述べたように、今やアメリカは中国を安全戦略と経済上の競争相手とみなしている。多くの専門家が、中国が短期間内にアメリカ経済を凌駕するだろうと予測しているが、トランプ大統領の大胆な経済政策により全ては変化していくだろう。

4．知財権と我が国の国民のプライバシーおよび国家の安全を守るために、アメリカはファーウェイやZTEなどの違法行為を阻止するために世界各国の盟友たちに北京の5Gネットワークを使うなと警告してきた。

5．中国政府は中国人民の宗教の自由を圧迫し、100万人のウイグル・ムスリム（イスラム教徒）

たちを監禁・迫害している。そのため先月、トランプ大統領は中国の監視等に関わる公安部門と企業計28組織団体制裁を加えた。

6．台湾は中華文化における民主と自由の灯台の一つだ。アメリカは、より多くの武器売却等によって台湾を支える。香港も数百万の民衆が自由と民主を求めてデモを行っている。香港民衆の権利は１９８４年の「中英共同声明」によって明らかにされている。アメリカは香港市民のためにメッセージを発し続ける。

7．それでもなお、トランプ大統領は、米中貿易協議が合意を見ることを希望している。われわれは、新しい段階において、中国がアメリカの農業に関して支持し、かつ今週チリで行われるＡＰＥＣで両首脳が協議書に署名できることを希望している。

遠藤　非常に興味深いので、いくつかピックアップして感想を述べたいと思います。

まず、「1」に挙げている中国の経済成長に関してですが、面白いのは「これはアメリカの投資が可能ならしめたものだ」と位置づけていることです。２０１８年10月の第一回ペンス演説のときには「アメリカは過去25年間にわたって、中国を再建したのである」と言っています。今回も前述の「2」で示した通り、同じ言葉を使っていますね。

25年間というのが「２０１８－１９９３＝25」で、１９９２年10月の「天皇陛下訪中以来」を指しているのは明らかですが、アメリカは「中国の経済成長はアメリカが可能ならしめた」

図表3-1　名目GDP（USドル）の推移（1980〜2019年）

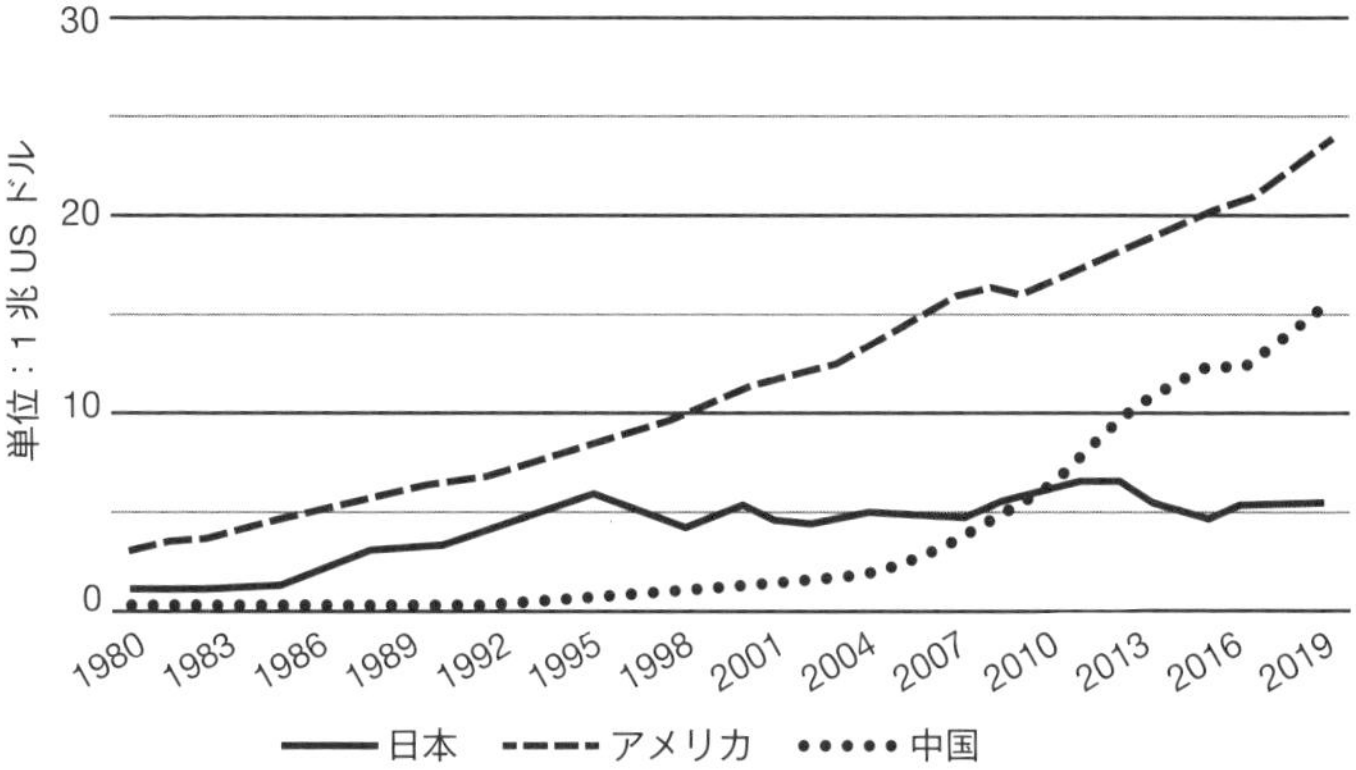

出典：IMF (International Monetary Fund)

とみなしているのは非常に興味深い。天安門事件に対する対中経済封鎖を解除したのは日本ですが、全世界が中国に投資する「きっかけ」を日本がつくったことによって、いかに世界全体を動かしてしまったかを如実に物語っているという意味で、ペンス演説に毎回出てくるこのフレーズは非常に重要です。

田原　天安門事件後の日本の対応が世界を大きく変えたのは確かですが、それは悪いことではなく、結構なことです。それくらい、日本は大きな役割を果たしているということですよ。

遠藤　だからこそ危険なのです。このような国際情勢の中、習近平国家主席を国賓として招聘するのが、いかに再び世界に影響を与えてしまい、アメリカの主張と利益にも反するかを、日本国民は深く考えなければなりません。今なら、まだ間に合います。

図表3-1をご覧いただくと分かりますが、1993年以降に中国のGDP規模が徐々に大き

図表3-2　1990−2015年 対中 国別投資推移

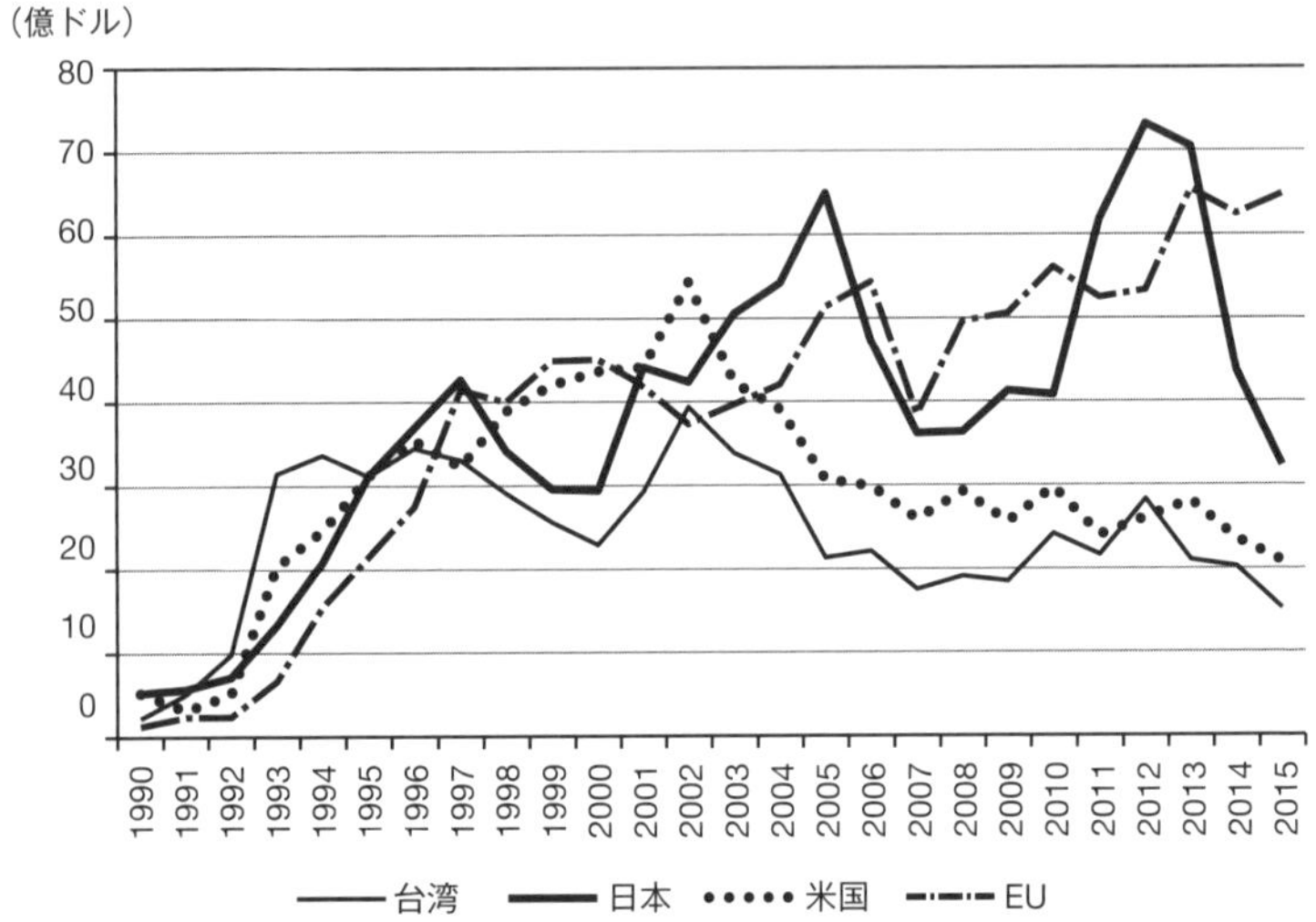

出典：中国商務部

くなり始め、２０１０年には日本を追い抜いて、今ではアメリカにキャッチアップしそうな勢いです。それを何としても防ごうとしているのがペンス演説の「３」です。日本はアメリカに協力すべきだと思うのです。困っている中国に日本だけ手を差し伸べるというようなことは、すべきではない。

　また図表３-２をご覧ください。これは中国の商務部が２０１６年に発布した統計です。１９９０年以降の国別・地域別の対中投資推移を示したデータです。

　アメリカは１９９３年以降、たしかに急激に対中投資を伸ばしましたが、香港で最初の大規模デモがあった２００３年から抑え気味で、それ以降はひたすら下降線をたどっている。ペンスさんが言うほど「アメリカが再建させた」というのではなく、全世界が１９９２年10月から一気に対中投資に邁進していったというのが現実です。特に日本の貢献度が大きい。日本はアジア金融危機とリーマンショックのとき以外はひたすら投資を伸ばしています。２０１２年の反日暴動で下がりましたが、中国としては「アメリカがだめならば日本」という、いつものパターンを繰り返している。その手に乗るのは賢明ではありません。

国防総省が次世代通信規格「5G」で、「中国に負けている」と報告

田原　では、ペンス演説の「４」に関しては、どうお考えですか？

遠藤　はい、これは明らかに２０１９年4月3日にアメリカ国防総省の諮問委員会（国防イノベーション委員会）が出した報告書「５Ｇエコシステム：国防総省に対するリスクとチャンス」に大きな影響を受けていると思います。なんと驚くべきことに、国防総省はこの報告書でスマホなどの移動通信に使われる第5世代移動通信システム５Ｇにおいて「アメリカは中国に負けている」と認めてしまったのです。

２０２０年から５Ｇの時代に突入し、世界のデジタル界は５Ｇ一色に染まっていくことでしょう。ですから５Ｇを制する者が、世界を制することになるのです。

この５Ｇ問題は大変重要ですので、この対談でも、後半改めてさらに議論をしたいのですが、

そこでアメリカは、中国の通信技術の脅威に対して、ファーウェイを商務省産業安全保障局の制裁対象リスト（エンティティ・リスト）に入れるなど一連の激しい行動をとり始めました。アメリカ政府の許可なく、アメリカ企業から部品などを購入することを禁止するものです。

田原　5月15日にエンティティ・リストに入れていますから、たしかに4月3日の報告書の影響が大きかったのかもしれません。

遠藤　はい、この報告書が与えた衝撃は、計り知れなく大きいです。ペンス演説の前半の激しい対中強硬姿勢は、ここにも原因があると言っていいでしょうね。

ペンス演説後半は、なぜ腰砕けになったのか

田原　ペンス演説の「5」と「6」に関しては、類似のことを既に第二章で述べていますので、最後の「7」に関して掘り下げたいと思います。

２０２０年11月の大統領選再選を意識してか、香港法案に署名するまでのトランプ発言は、中国への輸入品高関税制裁の緩和や、追加関税を先延ばしするなど、ちょっとこれまでの強気一辺倒と違って、なにやらおかしい。このペンス演説からそれを読み解きたいと思うのですが、これはどう思われますか。

遠藤　そうですね、ペンス演説の後半、つまりご指摘の「7」ですが、突如おかしいですね。

せっかく期待していたのに、腰砕けになっていて残念です。

田原　トランプが弱腰になったと思ったら、ペンスは今度の演説で、こう言っている。

「米中の経済関係で長年の懸案であった構造改革実現のために、中国と誠意を持って交渉を続ける。トランプ大統領は引き続き米中合意に楽観的だ。さらに習近平国家主席と強い個人的関係を築いてきた。それを基盤に我々は両国の国民に恩恵を与える関係強化の道を追及する」と。

遠藤　それはまさに中国が言っているウィン・ウィンの政策で、それにアメリカが乗っかってしまった。

田原　それでいいのですか。

遠藤　いいわけがありません。

田原　ペンスはこうも言っている。

「我々は米国と中国が繁栄の未来を共有するために、協力しなければならないと熱烈に信じている」

遠藤　そうですよ。前半の4分の3ぐらいは、ひたすら攻撃的で、「いいぞ、いいぞ」と思ったのですが、最後の部分を読んで「えっ、どうしたの?」と。

田原　何のためにこんな演説をしたのですか。

遠藤　そうですね。そこに米中攻防に対するトランプさんの多くが詰まっているので、それを解明しなければなりません。

実は、2018年の「新冷戦」演説から続いて、2回目の演説を2019年6月4日にすると前から決まっていました。しかしトランプと金正恩《キムジョンウン》北朝鮮最高指導者（朝鮮労働党委員長）とのハノイ会談、さらに6月29日、大阪サミットで米中首脳会談があり、トランプからは「あまり刺激的なことを言うな」と言われていたものと思います。だからペンスは演説を延ばしてきた。だけど、やらないと、世界から「なんだ、やらないのか」と言われると困るので、前回の演説からちょうど1年後のこの時期を選んだのだと思います。

田原　確かに「新冷戦」を打ち出した前回と、内容が全然違う。

遠藤　どうして、そんなことになったのか。一番大きい原因は「7」にもストレートに書いてある「チリで開催されることになっていたAPEC」にあると思います。そこで米中首脳会談が行われる予定でした。この会談で、トランプは習近平にアメリカの大豆や畜産など農畜産物を「買ってくれ」と持ち掛け、習近平は「買います」と応える手はずだったのです。中国では豚コレラが流行っていて、本当は豚肉や飼料が不足して困っていますから、トランプの希望通り、習近平は、「大豆も、豚肉も大量に買います」と言う手はずになっていた。そうすればあたかもトランプに「負けました」「屈服しました」と見せかけることができる。

トランプとしては、アメリカ国内向けに米中貿易戦争で成果を誇れるような仕掛けを、習近平に作って欲しかった。だから、この点だけは「譲歩してくれ」というメッセージを中国に送りたかったために、突然ペンス演説は「7」のようなことになってしまったものと考えます。

田原　その後、チリでは社会情勢が不穏であることからＡＰＥＣ開催が見送られてしまい、その後は香港法案にトランプがサインしてしまいましたから、今となってはペンス演説の「７」の部分は無駄になりました。

遠藤　そう分析する以外にないですね。

しかしそういう理由から硬軟取り混ぜてのペンス演説が出て来たのですね。

トランプ「高関税制裁」と習近平「サプライチェーン」の闘い

田原　トランプ大統領は、グローバル経済の中で急成長した中国を目の敵にして、「アメリカ・ファースト」を唱えた２０１６年11月の大統領選で、疲弊した中西部の製造業を中心としたいわゆるラストベルト（錆びついた地域）の白人労働者を票田に、民主党のヒラリー・クリントンを僅差で破って当選しました。そして、不法移民の排斥、中国との貿易不均衡の改善及び知財流出に対する報復関税など、矢継ぎ早に強硬な対抗策を取ってきました。

しかし、アメリカが高い関税をかけるので、経済に強い影響力を持つＩＴ業界など巨大産業界から「好ましくない」との反応が出ていますね。いわゆる貿易戦争の先の見えない不安、警戒感が高まっています。

遠藤　はい。２０１９年1月から10月にかけての、中国の対米輸出入変化を見てみますと、「中国の対米輸出額は6・8％減で、対米輸入額は21・5％減」になっています。つまりアメリア側から見れば、対中輸出額が21・5％も減少してしまっている。非常に大きな経済的打撃をアメリカ自身が受けていることになります。

田原　では、発端になった米国と中国の通商問題から見ていきましょう。

アメリカは2018年7月6日、通商法301条による制裁措置として、中国からの約半分の輸入品に第1〜3弾の25〜30％の段階的追加関税を発動しました。中国の知財侵害に対する報復ですが、中国も米国からの輸入品に同規模の報復関税を発動しました。これが貿易戦争の始まりで、相次ぐ報復合戦が続いています。一部、実施引き伸ばしの暫定合意もありますが、12月15日には、最も影響が大きいために延期されている第4弾、一部スマホやパソコンなどを含む制裁発動も懸念されます。これが実施されれば、ほとんど全輸入品に相当する最悪シナリオとなります。

遠藤　中国からすると、制裁関税は確かに打撃を受けています。しかし、そこには根本的なサプライチェーンの構造問題があります。

中国がアメリカに進出してアメリカ社会が必要とする製品を製造しているわけではなく、あくまでもアメリカ企業が中国に進出して中国の安い労働力を使ってアメリカが必要とする製品を生産し、それをアメリカに輸出してきた。その際、製品製造に不可欠の部品をアメリカ企業自身が中国に輸出する形で中国の工場で使用してきました。その結果、アメリカでは産業あるいは工場現場の空洞化が起きてしまい、製造業が廃れてしまった。
田原　アメリカ企業が投資している中国製品に高関税をかければ、困るのはアメリカ企業だというのは当然の理屈ですね。結局、フィードバックしてくるデメリットも大きくなる。
遠藤　またアメリカからの輸出品である農産品、大豆に、中国が報復で輸入関税を高くすると、トランプの票田、中西部の農家の農産品が売れなくなる。アメリカの生産農家が困って、トランプの政策に反対するようになります。
　オハイオ州などモノづくりの製造業者が多いラストベルトはトランプの票田ですが、アメリカから高関税をかけられたら、中国から高い部品を買わなければならなくなり、一層、経営が苦しくなる。回りまわって、トランプの再選が危うくなるのです。
田原　トランプは2020年の大統領選のことを一番に考えています。確かにオハイオ州など製造業の白人労働者が多いラストベルトが打撃を受けていますから、その声に耳を傾けざるを得なくなっていますね。
　また農業地帯についても、仰るように米国の大豆輸出のうち6割が中国向けです。下手をすると、トランプ政権の支持基盤である中西部を中心に生産農家や加工業者など30万人以上の大豆関連雇用への影響が懸念されています。
遠藤　トランプは今、大統領選しか頭にないのでしょう。これまではガーンと、強硬な対中国政策をやれば、アメリカ国民を引っ張って来られると思ったら、ここに来て、逆のフィードバックが来てしまったのです。選挙に影響が出ると好ましくないので、さすがに慎重にならざるを得ないのでしょう。

2

トランプ政権の内情

トランプ大統領がウクライナ疑惑で、議会による弾劾調査に直面

田原　ペンス演説は中国の言論弾圧や監視カメラによる人権抑圧、香港の大規模民主化デモなど、中国の痛いところにも鋭く切り込んでいます。これは、後ほど詳しく議論したいと思います。ただ、その前に改めてトランプ政権が、そもそも、どういう政権なのか、権力の内部に目を向けてみたい。

直近の問題として、大統領選挙に絡んで、トランプに対する議会からの弾劾調査開始問題が発覚しました。自らの大統領選のライバル、民主党のバイデン前副大統領に打撃を与えるため、バイデンがウクライナの汚職捜査に際し、介入したかどうかを調べるよう同国のゼレンスキー大統領に対し圧力をかけたのではないか、との疑惑です。ウクライナのエネルギー会社にバイデン前副大統領の息子が勤めていました。

弾劾、辞任へという構図は今のところ予測されていませんが、２０２０年11月の大統領選を控え、トランプ共和党の致命傷にもなりかねない。まず政権内部で今何が起きているのか、そ

こから入って行きたい。

遠藤　ロシアゲートに関しては、完全にクリアーはしていないかも知れませんが、今のところは、何とか逃れました。

　しかし、ウクライナ問題は政権の身内からの裏切り行為というか、内部情報が次々に出ています。トランプとゼレンスキー大統領との交信記録が公開されましたが、その際のやり取りや、記録改ざん疑惑など政権内部からも相次いで告発者が出ています。大統領選挙の思惑が絡んで、複雑に交錯しています。トランプさんとしては、なんとか弾劾をかわすために様々な試みをしているのでしょうが、何と言っても側近を次々と更迭しているので、気が気ではないでしょうね。

数えきれない閣僚、スタッフの更迭、辞任

田原　ロシアゲートは、共和党候補のトランプ大統領周辺の関係者が、対立候補の民主党ヒラリー・クリントンを追い落とすために、ロシア側と協力したのではないかという疑惑ですが、今のところは決定的証拠が見つかっていません。

　それにしても、中国との対立、イランの核合意離脱問題に対する制裁、シリアからの撤退をはじめ中東外交の問題、そして今度のウクライナ疑惑など政権内部の対立、そしてトランプ個人のいわば好き嫌いから、側近の閣僚や官僚スタッフを次から次へと更迭、あるいは辞任が相

次いでいます。

トランプ大統領を生んだ選挙参謀で、中国嫌いのバノン（大統領首席戦略官）、政権発足時からの最側近、ハト派のティラーソン国務長官を更迭し、後任にポンペオ中央情報局（ＣＩＡ）長官を充てました。シリア撤退に反対したマチス国防長官も辞任しています。さらに北朝鮮、イランに対する強硬派で、タカ派のボルトン（大統領補佐官、国家安全保障問題担当）まで、ハト派もタカ派も更迭している。もう何人が辞めたか、数えきれない。まさに異常事態です。

遠藤　経済界出身で、ロシアだけでなく中国にも深く関係しているティラーソンの辞任が象徴的でしたね。

田原　ティラーソンは石油大手エクソンモービルのＣＥＯで、政治経験がないのに共和党から推薦されて国務長官に就きましたが、もともとトランプとの面識はありませんでした。このティラーソンが国務長官になって、トランプについて「法律を破りたがることがたびたびあり、『無節操』で報告書を読まず、細かな点に関心のない人物だった」などと述べたことが報道されました。

これに対しトランプは「間抜け」と呼びました。そして２０１８年3月に国務長官を解任されました。

トランプ政権発足時の中枢は親中派

遠藤　トランプはホテルやカジノ経営で成功したビジネス界の出身で、国の外交に関しては、ほぼ素人。そこで政権発足当初は、ニクソン大統領時代の大統領補佐官として中国との国交回復をした立役者で、共和党の影の大物、キッシンジャーにすごく頼ったのです。ティラーソンを国務長官に推薦したのもキッシンジャーです。

キッシンジャーは、もちろん親中派のルーツともいうべき、1970年代に活躍した政治家ですが、今も影響力を持っています。彼はトランプの娘の大統領補佐官イバンカと、その夫のクシュナーを通して、トランプ政権発足当時の親中派を増やしていきました。

イバンカは、実は大変な親中派です。以前から中国でイバンカブランドの服飾品や靴の縫製・製作工場や、製品の販売もしていました。しかも売れて、繁盛していました。中国大使館はそれを知っていて、しっかり抱き込んだのです。

田原　そんなに中国に入れ込んでいたのですか。

遠藤　中国でのブランドビジネスは、最初は、趣味のようなものから始まりましたが、今や、自宅の家政婦も在米中国人です。子どもにも中国語を教えています。中国語が彫り込んである積み木のおもちゃも与え、習近平夫人の代表的な歌である「モアリーホア（茉莉花）」という歌なども歌わせている。中国に惚れ込んでいると言っても過言ではありません。

家政婦さんに子どもの世話も預け、ある意味、託している。相手は中華民族です。私も子育てをしてきましたから分かるのですが、よほど信用していないと自分の子どもを預けることはできませんよ。

田原　父親が中国との貿易戦争などで、激しい戦いをしているのは分かっているのでしょう？

遠藤　分かっているでしょう、当然。イバンカは父親が大統領になる前から、もともと親中派だったので、中国大使館はイバンカ夫妻に目を付けて、中国側に引き込むために懐柔してきたのです。これがトランプ政権誕生のときにピークに達し、盛んに行われました。

トランプは外交の権威であるキッシンジャーを頼りました。キッシンジャーがトランプ政権に親中派を送り込む隙は、イバンカ夫妻が作ったと言っていいでしょう。

田原　キッシンジャーは忍者外交で、日本の頭越しに1972年、中国との国交回復をニクソンにさせた人物ですからね。いわゆるニクソンショックです。それが引き金になり、田中角栄の日中国交回復を後押ししました。

遠藤　当時、キッシンジャー外交がすべてを握って世界を変え、一つの中国を認める方向に動きました。「中華人民共和国」を「中国」の唯一の代表として国連加盟させることに尽力し、世界の秩序を変えてしまった。1970年代に中国を強くしたのはキッシンジャーであり、アメリカであったと言えます。アメリカは今、そのことに苦しんでいる。自ら招いてしまった結果ですから。

経済的に豊かになれば民主化するとのファンタジー

田原　それが今日のペンス演説にもつながりますが、キッシンジャーも、中国と仲良くして、経済援助をすれば経済的に豊かになり、中国は民主化すると思っていた。「天安門事件後25年間も（中国を）助けてやったのに、こんなはずではなかった」とのペンス演説にも、慚愧《ざんき》の念が透けて見えます。

遠藤　それがアメリカの最大の間違いだった。それはファンタジーみたいなものです。アメリカの最大の間違いは、中国を豊かにすれば、いずれ民主化すると思ったことです。それは中国共産党の何たるかを何も知らない人間が考えることです。結局、アメリカは中国という国がどういう国か、共産党とは何か、全く分かっていない国だったのだな、と私は改めて認識しています。

田原　日本を含めて、中国に幻想を抱かず、中国の思いのままにならないために、どうしたらいいのですか。

遠藤　田原さんから、そのような質問が出るのは感動です。頭が下がります。

中国共産党はプロパガンダによって成長した政党です。日中戦争のときからそうでした。武器を持たず軍事力はなくとも、人々の「感情や考え方」を洗脳していけばそれが「力」になり「強力な武器」になると、毛沢東はみなしていました。ですから中国は今もなお、孔子学院を作ったり、文化交流などの衣をまとった形で、世界各国で洗脳活動に力を注いでいます。友好的な態度や言葉で政界関係者や発言力を持ったジャーナリストを洗脳していく戦略はみごとなものです。さらに今は経済力を伴っているので、少なからぬ人がまんまと、この権謀術策にはまってしまう。日本は特に日中戦争への贖罪意識があるので、嵌《はま》りやすい。

中国共産党中央委員会（中共中央）対外聯絡部という組織がありますが、ここは中宣部よりずっと上のランクに位置しているプロパガンダのための組織です。この対外聯絡部の最大のターゲットとしているのは各国政府与党の大物でして、影響力のある人を探し出し、その人を集中的に狙って「中国共産党側に引き寄せよ」という戦略で動いています。だから気をつけなければなりません。

中国がこの「プロパガンダ戦術で長期的目的をもって動いているのだ」ということを認識すべきでしょう。中国の真の目的は一党支配体制維持以外の何物でもないことを認識することが第一歩だと思います。

田原　具体的にアメリカの場合は？

遠藤　アメリカの場合は、古くは第二次世界大戦中のルーズベルト大統領のときから、大統領の側近までがソ連のコミンテルンのスパイだったり、あるいは毛沢東により真っ赤に染まり、『女ひとり大地を行く』を書いたアグネス・スメドレーや『中国の赤い星』を書いたエドガー・スノーなどがルーズベルト政権に影響を与えたりしました。毛沢東は、こういう人たちを意図的に活用しています。

キッシンジャー・アソシエイツは1987年にキッシンジャーが設立したものですが、1979年に鄧小平がキッシンジャーに「中国に協力してくれるアメリカのハイテク企業を紹介してくれ」と頼んだことから始まったものです。これは「ビッグ・ビジネス」になると考えたキッシンジャーは、それ以降中国にも、ロシアにも、人材を送り込むことをやってきました。

特に、多くの人材を中国に送り込んでいます。中でも清華大学経済管理学院の顧問委員会の中にはずらりと、アソシエイツの門をくぐったアメリカの大財閥がたくさんいます（図表3－3）。

ティラーソンの場合は、同じアソシエイツ門下生でもエクソンモービル時代に、ロシア最大の国営石油会社と北極海の油田開発で協力するなどロシアにも通じていた人物ですが、中国とも無関係ではありません。

清華大学は習近平や、中国共産党の幹部の多くが卒業した大学です。

民主主義と一党独裁政治

田原　トランプが大統領選挙を前にしているから、外面的な強気な言動や、ツイッター発信などとは裏腹に、習近平の中国に対しても、どちらかというと弱いわけだ。これには民主主義と

図表 3-3 「清華大学経済管理学院顧問委員会委員リスト」における米財界人（2018-2019）

名誉委員	ヘンリー・ポールソン Jr.	ポールソン研究所代表、米国元財務長官、ゴールドマン・サックス元会長兼 CEO
	リー・スコット Jr.	BDT キャピタル&パートナーズ顧問委員会議長、ウォルマート前社長兼 CEO
主催	ジム・ブライヤー	ブライヤー・キャピタル創業者および CEO
委員	メアリー・T・バッラ	ジェネラル・モーターズ会長兼 CEO
	ロイド・ブランクファイン	ゴールドマン・サックス会長
	ティム・クック	アップル CEO
	マイケル・コルバット	シティグループ CEO
	マイケル・デル	デルテクノロジーズ会長兼 CEO
	ジェイミー・ダイモン	JP モルガン・チェース・アンド・カンパニー会長兼 CEO
	ローレンス・D・フィンク	ブラックロック会長兼 CEO
	ウィリアム・フォード	ジェネラル・アトランティック（投資会社）CEO
	クリストファー・ガルビン	ハリソン・ストリート・キャピタル元会長兼 CEO 兼共同創設者、モトローラ元会長兼 CEO
	モーリス・グリーンバーグ	C.V. スター・アンド・カンパニー会長兼 CEO
	マター・ケント	コカ・コーラ会長
	ヘンリー・R・クラビス	KKR（投資会社）共同創設者、共同 CEO
	インドラ・ヌーイ	ペプシコ会長兼 CEO
	ラモン・ラグアルタ	ペプシコ CEO
	リック・レビン	コーセラ前 CEO、エール大学前総長
	ダグ・マクミロン	ウォルマート社長兼 CEO
	マイク・マクナマラ	フレクストロニクス CEO
	イーロン・マスク	スペース X 社共同設立者および CEO、テスラ・モーターズ会長兼 CEO
	サティア・ナデラ	マイクロソフト CEO
	ブライアン・L・ロバーツ	コムキャスト会長兼 CEO
	ジニ・ロメッティ	IBM 会長兼社長兼 CEO
	デービット・M・ルーベンシュタイン	カーライル・グループ（投資ファンド）共同創立者および共同 CEO
	シュテファン・シュワルツマン	ブラックストーン・グループ（投資ファンド）共同創立者および CEO
	ケビン・スニーダー	マッキンゼー&カンパニー・グローバル・マネジング・パートナー
	マーク・ザッカーバーグ	フェイスブック共同創業者および CEO

出典：『「中国製造 2025」の衝撃』（PHP）より抜粋

共産党一党独裁の政治体制の違いも投影されているのでしょうか。

遠藤　民主主義国家には「自由と平等」があって、民主的な普通選挙の一人一票も保障されていて、それは非常に素晴らしいことではあります。しかし現状では、少なからぬ民主主義国家において、どちらかというと「民主主義の脆弱性」が露呈している。常に選挙、選挙で票田のことを考えて、政治家が次に自分が当選するために、国益にそぐわないようなことを平気で次から次にやるわけです。そうしないと落選してしまうからという判断です。

田原　たしかに、そこには民主主義の脆弱性がありますね。

２０２０年11月の大統領選で、いよいよ予備選挙も本格化します。共和党はトランプにウクライナ疑惑弾劾や、中国との貿易戦争による国内経済への負の逆流など黄信号がともっていますが、候補者には選ばれるでしょう。民主党は穏健派のバイデン前副大統領が有力ですが、ウクライナ疑惑がマイナスになっている面もあります。民主党も乱立しています。

この先、トランプが再選されたら、中国に対してどう出るでしょうか。

遠藤　慎重に考えてお答えしなければなりませんが、あくまでこれは推測です。再選されなくとも、今は民主党も対中政策に関しては非常に強硬ですから、アメリカの国家全体としても対中強硬策は変わらないだろうと思われます。トランプも当選したら、もう遠慮せずに元に戻って、中国に徹底して強く出るでしょう。

田原　選挙があると、国民にゴマをすらなければいけないから弱い。選挙がなければ、あるいは無事に当選すれば、やりたいことができる。では、トランプがやりたいこととは何ですか。

遠藤　アメリカ・ファーストであり、アメリカを再び偉大な国にすることに邁進するでしょう。そもそもトランプが当選したのはアメリカが衰退してきたからだと思います。アメリカは常に世界のナンバー1であり続けたい。だから「アメリカを再び偉大な国に」という分かりやすいフレーズを訴え続けたトランプが当選した。アメリカは常に世界のトップリーダーでいなければ国民が許さない。だから共和党も民主党も対中強硬策に出ている。そのような中で、中国を応援して中国の国力を高めるようなことを日本はやってはならないのです。中国が非民主主義国家であることを、どうか忘れないでください。その目で香港や台湾情勢あるいはウイグルへの人権弾圧などを受け止めなければならないのではないでしょうか。

バノンとの出会い

田原　遠藤さんはトランプから首を切られたバノンにも、直接会ったことがありますね。どう言っていましたか。

遠藤　私には、もし彼に会ったら、どうしても確認したいことがありました。実はバノンさんが既に首席戦略官としてトランプ政権から離れた後のことなのですが、香港で開かれた講演会で、「トランプ米大統領は中国の習近平国家主席を世界の他のどの首脳よりも尊敬している」

と述べたという記事をアメリカのブルームバーグが報道していたんですね。そこで彼と会ったときに、「あなたは本当にそんなことを言ったのですか？」と聞きました。すると彼は「ああ、本当だ。間違いなくそう言った」と即答したのです。おまけに「トランプは習近平とプーチンを尊敬しているとも言っている」と教えてくれたのです。「但し、個人をどう思うかということと、その国をどう思うかは全く別問題だ！」とも、釘を刺しましたが。

田原　ほう、習近平とプーチンをねぇ……。では安倍さんのことは？

遠藤　安倍さんに関しては何も言ってなかったのですが、私があまりにビックリしている様子と、ふと、私が日本人だということを意識したのでしょうか、まるで気を配るような感じで「ああ、トランプはもちろんミスター・アベとは親密だ」と付け加えました。

田原　それはまた面白い。そんなことがあったんですか。それにしても、遠藤さんはまた、なんでバノンと会うことになったのですか？

遠藤　彼は私が中国共産党の残虐非道ぶりを実体験として記録した『卡子《チャーズ》』と中国共産党が最も知られたくない事実を書いた『毛沢東　日本軍と共謀した男』に興味を持ち、私を取材したのです。『卡子』は中国語だけでなく、英語でも出版されていますし、『毛沢東』に関しては、ワシントンのナショナル・プレス・クラブで講演したので、そのことが英文記事でも報道されたからだと思います。アメリカでは今、中国共産党の正体を見極めようと力を注いでいることの証しではないかと思っております。

第4章

台湾、韓国、「一帯一路」協力を斬る!

1

「一国二制度」に抵抗する台湾

「一つの中国」コンセンサスから「一国二制度」への転換

田原　さて、中国共産党の圧力と対峙して緊張状態にあるのは、香港だけではない。それは、2020年1月に総統選を迎えた台湾です。民主主義陣営である日本にとって、台湾の問題はむしろ香港以上に重要かもしれません。さきほどまで議論してきたペンス演説でも、台湾については「中華文化における民主と自由の灯台の一つだ。アメリカは、より多くの武器売却等によって台湾を支える」とまで言い切っていますね。

遠藤　2020年1月の総統選では、現職の蔡英文《さいえいぶん》総統（民進党）が中国と距離を置くのに対して、野党国民党の韓国瑜《かんこくゆ》候補は「中台改善で経済振興」をスローガンに掲げて選挙戦に臨みました。

ところで習近平は、2019年1月2日の「台湾同胞に告ぐ」と題したスピーチで、「『一国二制度』を台湾に対しても実行する」と表明したのです。

それまで中国は台湾に対して、「『92コンセンサス』を守りましょう」という言い方をしていました。92コンセンサスとは、１９９２年における中台双方の協議内容を意味します。この内容をひとことで表すと、「一つの中国を認める」ということです。北京政府にとって、「一つの中国」とは当然「中華人民共和国」を指しますが、台湾側の人々が「中華民国」を勝手に連想するのは構わない、という解釈です。但し、いずれ「平和統一」するというのが前提にありましたが。

つまり「頭の中では何を考えてもいいが、『一つの中国』は守りましょうね」というのが従来の考え方でした。

田原　中台双方が直接協議してひねり出した共通認識ですね。一つの中国を認めれば、それぞれ中身が違ってもよかったわけですか。

遠藤　「中身が違ってもいい。頭の中では、自由に考えなさい」と解釈し、中国語では「一中各表」と書きます。「一つの中国（一中）」を「各自が表現する（各表）」という意味です。

田原　台湾と中国の考え方、捉え方が食い違っていて、矛盾していますが、それでいいのですか。

遠藤　台湾と中国の関係は、どっちみち矛盾だらけなんです。中国にとっては「一つの中国」だから、「いずれ平和統一をし、独立させない」ということなのです。

田原　中国のホンネはどうですか。

遠藤　１９７１年10月25日に「中華人民共和国」が「中華民国」に代わって「中国」の唯一の代表として国連に加盟してからというもの、北京はこの世に「中華民国」という国家は存在しないとみなして「台湾」としか言わせない姿勢を貫いてきました。台湾が「中国」から独立することは絶対に許さないという断固たる考えを持っているので、2005年に「反国家分裂法」（注⑫）を全人代で成立させました。これは、胡錦濤政権時代に制定したのです。実際に台湾が独立を試みたときには、武力介入する、攻撃するということなのですが、中国が軍事力でアメリカより実力が上にならない限り、武力で攻め込み台湾統一という方向には動きません。中国は、負けると思った戦いは、絶対に自分からは仕掛けてこないからです。

（注⑫）【反国家分裂法】2005年3月の第10回全国人民代表大会において採択された。中国語では「反分裂国家法」。台湾が独立を宣言した場合、台湾独立派分子に対する「非平和的手段」を取ることを合法化した法律。中国は「一つの中国」の原則を挙げ、第7条では台湾の平和的統一を明示したが、第8条でもし台湾が独立、中国から分裂させる事態になれば、非平和的手段を取ることもあるとしている。
これは当時の台湾の陳水扁総統が台湾新憲法制定や国号改称などによって台湾独立色の強い政策を牽制するためのものであった。

中国軍はアメリカ軍に及ばない

田原　台湾に中国が侵攻しようとしたらアメリカは黙っていないでしょう。

遠藤　台湾とアメリカの関係でいうと、アメリカには国内法で「台湾関係法」（注⑬）があります。軍事的にいざとなったら台湾をサポートする。兵器を台湾に売却してもいい、ということになっています。ペンス演説もこのことを謳っていましたね。

仮に、中国が武力を以て台湾を統一する、あるいは反国家分裂法を発動させるとなると、アメリカの第7艦隊が動きます。中国とアメリカが武力で戦うことになると、中国軍はアメリカ軍に負けます。人民解放軍の実力はまだまだアメリカ軍に追いついていません。なかなか上にはなれません。

ただ気をつけなければならないのは、中国のミサイル部隊における戦闘能力は、ほとんど世界一の実力を持っている点です。アメリカ軍が侮れないミサイル戦力を中国は保有しています。

２０１９年10月1日に行われた建国70年の軍事パレードは極めて重要でした。日本はもちろんのこと、アメリカ全土をカバーすることができるぐらいのミサイル軍事力を持っていることが明らかになりました。

田原　なんでまた、中国はそこまでミサイルを発展させることができたのですか？

遠藤　これこそがまさに、トランプが脱退した「ＩＮＦ（中距離核戦力）全廃条約」（注⑭）ですよ。これは米ソ冷戦時代の条約でしたが、ロシアになってからも米ロの間だけで交わされていた条約ですから、中国は加盟していない。したがってその間に中国はいくらでも中距離弾道ミサイルを開発することができました。トランプは、今アメリカが競争しなければならない相手はロシアではなく、中国だとわかっているわけです。だから脱退してアメリカのミサイルを新たに開発し始めた。

田原　一方、中国は自国の軍事力を見せつけるために、大々的に軍事パレードをやったわけですね。

遠藤　そうです。バカにするなよ、と。反国家分裂法を発動させることになっても、ミサイル戦略ではアメリカ軍に負けないよ、というわけです。ただし、トータルの軍事力を考えたときはまだまだアメリカ軍に及ばない。それで中国は、台湾を統一する軍事行動は控えているけれども、習近平は「一国二制度」を台湾においても適用すると、意思表明をしたわけですよ。

（注⑬）【台湾関係法】1979年にアメリカは中華人民共和国（中国）と国交を開始したと同時に、台湾関係法を制定しアメリカは台湾との軍事同盟を維持した。

（注⑭）【INF（中距離核戦力）全廃条約】アメリカ合衆国とソビエト連邦との間に結ばれた軍縮条約の一つで、中距離核戦力（Intermediate-range Nuclear Forces、INF）として定義された中射程の弾道ミサイル、巡航ミサイルをすべて廃棄することを目的としている。

毛沢東も出した「台湾同胞に告ぐ書」

田原　台湾同胞に告ぐというスピーチは、習近平が初めて行ったのですか。

遠藤　いいえ。一番有名なのは1979年の1月1日に、鄧小平が出した「台湾同胞に告ぐ書」ですが、実は毛沢東も何度か「台湾同胞に告ぐ書」というのを出しています。

1958年に金門《きんもん》砲撃というのがありました。蒋介石が台湾に逃げるときに、大陸の一部に「手放してなるものか」と死守した地区に金門《きんもん》と馬祖《ばそ》がありますが、1958年に中国人民解放軍が金門島を砲撃したため中華民国（台湾）の蒋介石が怒って反撃します。このときアメリカは中華民国に武器支援をして第七艦隊を派遣。そこで毛沢東が蒋介石に対して出したのが「台湾同胞に告ぐ書」です。「力を合わせて共にアメリカ帝国主義と戦おうではないか」という趣旨の呼びかけです。

田原　毛沢東も出していたのですか。

遠藤　はい、1958年にだけ3通も発布しています。その後は出していません。このとき「中国」の代表として国連に加盟していたのは「中華民国」でしたから、台湾の力は強かった。だから中国（中華人民共和国）もそれ以上は手出しできず、この金門戦闘は1979年まで断続的に細々と続いていています。

ところが1979年1月1日に米中の外交関係樹立に関する共同コミュニケが発布されますね。

田原　1972年に国交正常化に当たる上海コミュニケが出されますが、いわゆる、日本の日中平和友好条約に相当するものは1979年1月1日に出している。

遠藤　その日を待って、鄧小平は「台湾同胞に告ぐ書」を発表します。この言葉が格調高く感性に訴えるのは、文学性豊かな毛沢東が最初に書いた言葉だからです。彼は「言葉＝プロパガンダ＝中国共産党の武器」と位置づけて共産党員を増やしていきましたから、「言葉の操り方」が実にうまい。

改革開放は１９７８年12月に宣言されました。鄧小平としては毛沢東から数えて20年ぶりに同書を発表したのですが、この大きな特徴としては「日中戦争時代に国民党にも功労があった」と認めた点が挙げられます。それを知った、ニューヨークに渡っていた蒋介石夫人・宋美齢《そうびれい》は涙を流して「夫が生きている間に、その一言を言って欲しかった」と言っています。本当は国民党軍にしか功労はなかったのですが、中国は事実を歪曲し、日本軍と戦ったのは中国共産党軍であるという抗日神話を創りあげていた。それを骨の髄まで悔しがりながら蒋介石はこの世を去りましたから。中国共産党の方が戦略的で狡猾で、言うならば作戦がうまかったのです。

田原　鄧小平と習近平の間に40年ありますが、その間に「台湾同胞に告ぐ書」は出されたことはあるのでしょうか？

遠藤　いいえ、一度もありません。２０１９年は最も有名な鄧小平の「台湾同胞に告ぐ書」から40周年記念に当たりますので、習近平は鄧小平を踏襲して「台湾同胞に告ぐ」というスピーチをし、「台湾同胞に告ぐ書」を発表したのです。その中で「一国二制度」を台湾にも適用すると宣言しました。

その意味するところは、「一国」として中華人民共和国が上に位置して、その下に２つの制度があるということで、「92コンセンサス」をはるかに超えてしまったわけです。

習近平が憲法を改正してまで国家主席の座を維持しようとしたのは、自分の手で台湾統一を成し遂げようとした、その決意の表れだということが、この書からも窺われます。

第二の香港になってもいいのか

田原　台湾の反応はどうなりましたか。

遠藤　それはもう激しい反中国、反共産党の動きが燃え上がりました。習近平としては独立傾向のある民進党の蔡英文政権を牽制するつもりでしたが、逆効果になりましたね。というのは、ほどなく香港の抗議デモが始まり、６月になると大規模デモに発展していきましたから、蔡英文政権には大きな追い風となったわけです。特に蔡英文が「一国二制度を導入されたら最後、台湾は香港のようになる。今日の香港は明日の台湾なのです！　皆さん、これでいいのですか！」と呼び掛けたものですから、台湾の若者は一気に蔡英文側について蔡英文を応援するようになりました。

田原　だから蔡英文の支持率が上がったという話を聞きましたが。

遠藤　はい、蔡英文政権の民進党は、２０１８年11月の地方統一選挙のときに大敗を喫して、親中派の野党・国民党が圧勝しました。そのときは15％まで支持率が落ち込んでいたのですが、香港デモが始まると支持率が一気に38％になり、香港デモが大規模化すると45％と、すごい勢いで跳ね上がり、２０２０年1月11日の次期総統選で蔡英文は圧勝するでしょう。

田原　なぜ蔡英文は一度、支持率が落ちたのですか。

遠藤　やはり台湾の経済状況が悪化したからです。台湾経済は、中国との貿易によって潤っているという現実があります。高年齢層やビジネスに関わっている人たちは、親中なのです。蔡英文が反中的な言動をするので、北京政府が台湾への観光客を制限したり、さまざまな妨害をしたので経済が落ち込み、その結果、支持率も落ち込んだのです。

ところが香港デモが起きて以来、蔡英文が「親中的になり一国二制度を受け入れたりすると、香港のようになるのですよ、それでいいのですか⁉」と若者に呼び掛けたところ、若者が一斉に蔡英文のほうを向いた。若年層だけの支持率を見ると、60～80％に達しています。一方、40歳よりも上の人たちは国民党の支持者が多い。

田原　そもそも「一国二制度」のアイデアはどこから来ているのですか。

遠藤　実際上は鄧小平が１９８２年1月11日に「一个（個）国家、両种（種）制度」（一つの国家、二種類の制度）という言葉を発するところから始まるのですが、しかしもっと細かく言えば、また毛沢東が出てきますが、実は１９５６年4月に毛沢東が「和為貴」（和を以て尊しとする）として台湾に平和的な解決を持ちかけることが最初のスタートです。

田原　また毛沢東が出て来るんですか？

遠藤　はい、概念自身は毛沢東によるものです。

１９４９年10月1日に中華人民共和国誕生を宣言するのですが、その前にソ連のスターリンに「台湾をまだ解放していないが、先に建国を宣言したい。その後すぐに続けて台湾解放をしたいが、空軍と海軍の支援をしてもらえるか？」と聞くんですね。中国は建国当初、実質上、陸軍しかありませんでしたから。スターリンは「イエス」と言うのですが、北朝鮮の金日成《キムイルソン》が南北統一をしようとしてスターリンに南朝鮮（韓国）への侵攻を持ちかける。スターリンは「台湾は遠くてソ連の利害に関係ないが、朝鮮半島はウラジオストクなど不凍港に向けての直接の利害関係がある」として毛沢東との約束を反故《ほご》にして金日成を選びます。こうして毛沢東は騙されるような形で朝鮮戦争へと巻き込まれていくので、台湾に対する解放戦争（人民解放軍が武力で制圧する戦争）を断念せざるを得ないところに追い込まれます。

このとき毛沢東は「１００年かかっても構わない。絶対に台湾を中国（中華人民共和国）のものとしてみせる」と固く決断するのです。それが「百年の計」の始まりですが、こうして「台湾の平和統一」から「一国二制度」概念が生まれてきたのです。

人民大会堂の階段で転んでしまったサッチャー（当時のテレビ報道より）

「一国二制度」は鋼の男が譲らなかった

田原　そんな長い怨年の歴史が含まれていたのですね。

遠藤　そうなんです。ですから鄧小平はまず、中華民国・国民党の初代総統だった蒋介石の息子で、当時は台湾総統の座を継いでいた蒋経国《しょうけいこく》に「一国二制度の導入はどうか」と聞きました。二人は日中戦争時代に同時期にモスクワに留学していたことがあり、割合に気心の知れた仲でした。しかし、国連脱退に追い込まれたばかりの台湾の蒋経国は、一言《いちごん》のもとに「とんでもない！」と断った。それで鄧小平は香港の中国返還にあたって、イギリスのサッチャー首相に対し、台湾に出したアイデアを香港で使うべく提案したのです。

田原　サッチャーは香港の「一国二制度」をよく認めましたね。

遠藤　そうですね。マーガレット・サッチャーは当初、反対したのですよ。第一章でも申しました通り、「鉄の女」サッチャーは当時意気軒昂でしたから、なかなか受け入れようとはしなかった。

　そもそも、イギリスがかつて清王朝と締結した「南京条約」、「天津条約」＆「北京条約」および「展拓《てんたく》香港《ほんこん》界址《かいし》専条《せんじょう》」という三つの条約は「双方が合意しなければ変更はできない」ことになっており、「イギリスは同意しない」と突っぱねました。

田原　やはり、そうでしたか。でしょうね……。それでも妥協したのは？

遠藤　これが大変なストーリーがありましてね、鄧小平が頑として譲らず、「今日は返す返さないの話をするために集まったのじゃない。どのような返し方をするかを話し合うためで、香港の租借権が99年であることは、１８９８年に結ばれた展拓香港界址専条で決まっている。１９９７年に中国に返還するのは大前提で来てもらった」と突っぱねたのです。「鋼の男」のほうが強かったと思ったのでしょう。鄧小平との会談を終えたサッチャーは、人民大会堂の階段の最後の３段目の所で転んでしまったのです（右頁）。

田原　そんな出来事があったのですか。

遠藤　ええ、この時の動画は、まだネットで見ることができますよ。その日、香港の株が一気に下がったほど、有名な場面になりました。

田原　この絵がまた、あのサッチャーにしては、度肝を抜かれますね。これでは株価も下がるでしょう。

遠藤　サッチャーが敗北を覚えた原因はもう一つありまして、実はこの会談で、鄧小平は「もしイギリスが態度を変えなければ、人民解放軍を出動させる」と言ったのですよ。このことは『鄧小平文選』第三巻（人民出版社、１９９３年）にも記録があります。

イギリスはたしかにフォークランド紛争で勝利はしたものの、多くの艦隊を失い、２５５人の死者が出ています。香港のために中国と一戦を交えるのは不可能だったものと思われます。

鄧小平はこのときサッチャーに「香港はフォークランドではないし、中国はアルゼンチンではない」とも言っており、「そんなことより香港を経由して中国と商売する方がイギリスの利益になるんじゃないかね」とも誘っています。

田原　鄧小平はやはり、ただ者ではないですね。

遠藤　そうですね。彼は「中国のユダヤ人」とも呼ばれることがある「客家《はっか》」の出で、優れた政治家としてだけでなく、ビジネス的なセンスもあったと思います。

一国二制度の移行期間を50年にするということに関してもエピソードがありましてね。鄧小平は移行期間をできるだけ短くしたかったが、イギリスはできるだけ長くして、１００年くらいはイギリスが影響力を保てる状況にしたかった。

そこで実際の話し合いの時に鄧小平が「10年か、あるいは15年」と持ち出したときには、イギリス側全員が「ノー！」と強く反発した。少しずつ増やしていって鄧小平が「じゃあ、30年ならどうだ？」と言ったときに、イギリス側が互いに顔を見ながら黙ってしまったのです。そこで鄧小平が「よし、わかった！　じゃあ、50年でどうだ？」と言ったら、イギリス側が立ち上がって拍手が起きたのです。これは中国人が買い物などで値引きをするときの、昔からのやり方ですが、イギリス側はまんまと鄧小平の術策に嵌ってしまったのです。こうして「移行期間は50年間」と決まりました。

【遠藤注】台湾総統選圧勝と今後の台湾のプレゼンス

習近平国家主席が香港政府に逃亡犯条例改正案などを提出させたために、香港デモが大規模化し、そのお陰で台湾民進党の蔡英文総統にはかつてない追い風が吹くこととなった。

台湾では２０２０年1月11日、総統選挙が行われ、現職の与党・民進党の蔡英文総統が、台湾の選挙史上最多となる８１７万票を獲得して再選された。これまでにない圧勝だ。

同時に行われた議会選である立法院委員の選挙も民進党が過半数を維持した。台湾では地元に戻って投票することが要求されているので、世界中にいる台湾人が一斉に帰京する様子は、まるで「民主に向かって民が集まった」ようで、圧巻だった。投票率はなんと、74・9％。ここまで「民主」が求められ、「民主」のために国民が一丸となって力を発揮した例も少ないだろう。

これは親中派の台湾野党・国民党候補者が敗れたのではなく、習近平が敗北したのだと結論づけていい。

つまり「自由と民主」が「中国共産党による一党独裁政権」に勝利したのだ。チャイナ・マネーをどんなにばらまこうとも、台湾国民は「金ではなく尊厳を選んだ」のである。このような輝かしい勝利があるだろうか。最近にない快挙だ。

さて、この快挙を成し遂げた台湾には、今後どのような国際情勢が待ち受けているだろうか。北京が台湾にさらなる厳しい措置を打ってくるだろうことは予想できるとしても、現状はそんなに単純なものではなく、日本にもストレートに影響してくると思われるので、以下に多少の分析を試みたい。

まず台湾の立法院（国会）は、２０１９年12月31日、北京から政治的影響が及ぶのを阻止する「反浸透法案」を可決した。北京政府はアメリカや日本など、ほぼすべての国に対して、中国に有利なように思想を傾かせるためのプロパガンダに全力を投じているが、台湾はその最前線にあり、「反浸透法案」は北京による激しい政治工作（台湾の政治家への不法献金やメディア買収、ニセ情報流布など）に対抗するためのものだ。

注目すべきはトランプ大統領が同時（アメリカ時間２０１９年12月30日）に、「２０２０国防権限法案」に署名し、同法が成立したことである。同法は今後、アメリカの国家情報機関に対して、「台湾が中国の動きを見極め、（中国の干渉を）食い止めるのを支援し、自由で公正な選挙を行えるようにアメリカの情報機関が努力したことを米議会の関連委員会に報告する義務」を要求している。

つまり、アメリカの「国防権限法」と台湾議会の「反浸透法」はペアで動いていたのである。同法にはほかにも、「台湾とのサイバー・セキュリティー分野における連携強化」、「台湾との安全保障分野における交流強化や合同軍事演習の実施」、「台湾の防衛能力確保（武器支援）」などが盛り込まれている。また同法は「台湾旅行法に基づいた米台高官の交流促進」や「米軍艦による定期的な台湾海峡の通過を続行する」ことも強く要求している。

米台が緊密に連携し合って北京政府に対する協力体制を構築していることが見えてくる。

一方、米中貿易戦争の煽りを受けて、中国大陸で製造した他国の製品にも、アメリカにより高関税がかけられる。そこで中国大陸に進出している多くの他国の企業が中国大陸から撤退して第三国に生産拠点を移動させ始めているが、中でも台湾の大手企業が台湾に引き揚げる動きを加速させていることが注目される。

台湾政府の経済部台湾投資事務所が2019年11月28日に発表したデータによれば、既に156社の台湾企業が大陸から台湾に引き揚げており、台湾への新しい投資総額は7034億ニュー台湾ドル（約2・58兆円）で、5万6759の職位を台湾に提供することができるという。

これに対して北京政府は台湾企業を撤退させせまいとしてさまざまな妨害を試みている。たとえば台湾が大陸で最も多く投資している地域は蘇州で、蘇州の台湾企業の数は1万1000社に達し、蘇州の外資の3分の2は台湾資本だが、中国政府は台湾企業が大陸から撤退できないように、台湾企業が使用している蘇州工場の不動産などは、最低3年あるいは5年は売却することができないなどの法令を出して規制しようとしている。

しかし、そのような規制を受けても、大陸に進出した台湾企業の台湾回帰の勢いを止めることはもう出来ない。

習近平が2019年1月に台湾にも「一国二制度」を適用すると宣言すると、蔡英文政権は直ちに「台湾回帰政策」を打ち出し、台湾での投資に必要となる土地や人材などの斡旋や低利融資などを断行し始めた。また半導体や電子機器製造において世界に冠たる大企業を多く持つ台湾は、台湾を「デジタルアイランド」として「台湾とアメリカのシリコンバレー」をつなぎ、東南アジアを経由してインドに至るサプライチェーンの構築を図っている。

台湾企業は域外生産の4分の3をアメリカなどの第三国に販売しているため、米中貿易摩擦が盛んになればなるほど台湾回帰を強め、巨大なIT大国に再成長していく可能性を秘めている。

たとえば世界最大のハイテク製品受託生産企業で、日本のシャープを買収した鴻海（ホンハイ）精密工業（工場の一部移転）、水晶デバイスで世界首位の台湾晶技（TXC）、リニアガイドウェイの生産量で世界屈指の上銀科技（ハイウィン・テクノロジーズ）などがその戦列に並んでいる。

アメリカが北京政府に圧力をかければかけるほど、台湾巨大企業の台湾回帰の波は止まらない。香港と違って台湾はまだ北京政府の構築の中には組み込まれていない。「独立した民主主義国家」を形成しているのだ。

香港デモにより思わぬ力を甦らせている台湾。

トランプが「台北法案」に署名すれば、中華人民共和国が「中国」の唯一の代表として国連に加盟したあの屈辱を晴らし、もしかしたら台湾が「中華民国」として独立して国連に加盟する日が来るかもしれない。

これこそは東アジア最大の地殻変動だ。

これが実現すれば香港の「自由と民主」への渇望も夢ではなくなるかもしれない。

東アジアは今、その分岐点にある。

それを左右するのは「日本の選択」だ。

日本は民主主義国家を選ぶのか中国共産党による独裁国家を選ぶのか。いまその分岐点に日本はいる。

日本が「自由と民主」を選べば日本国民の尊厳は保たれる。それこそが真の「アジアの平和」なのではないだろうか。

2

GSOMIA破棄、停止問題が日韓の新たな火ダネに

日本のホワイト国除去が、韓国のGSOMIA破棄の口実に

田原　さて、東アジアの香港、台湾の問題をここまで話し合いましたが、ここで朝鮮半島に目を向けてみたいと思います。２０１９年の初頭までは米朝国交回復や南北の融和が一気に進むかと思われたのに、２月のハノイ米朝首脳会談の失敗で一気に雪解けムードがしぼんでしまった。その後、今度は日韓関係が急激に悪化しています。

日本と韓国の徴用工問題に端を発した日本のホワイト国（輸出優遇国）除去、それに対抗する韓国のＧＳＯＭＩＡ（軍事情報包括保護協定）破棄問題が出てきました。ＧＳＯＭＩＡ継続を強く求めるアメリカと、警戒心を強める中国、北朝鮮の思惑や、影響力をめぐるパワーバランスが揺れ動き、東アジア全体を巻き込んで火花を散らしています。結局、失効直前に韓国から破棄の停止（＝延期）が発表されました。

遠藤　ご指摘のように韓国のＧＳＯＭＩＡ破棄問題で、東アジア情勢が一時期かなり緊迫しました。ＧＳＯＭＩＡは中国の軍事情報あるいは北朝鮮の軍事動向を、韓国がこっそりキャッチ

して、それを日本に教えるものです。さらに、アメリカと情報を共有する。中国にしてみれば、そんなものを締結するのだったら、対中貿易に頼っている韓国に、「中韓国交を断交するぞ」、といわんばかりの勢いで、２０１６年の締結当初から、水面下でものすごく怒っていました。

田原　日本が韓国をホワイト国（輸出優遇国）から外したので、それに激怒して破棄した経緯ばかりが情報として入ってきていました。中国や北朝鮮は当然、反対の立場ですが、韓国の条約継続に対する両国側の厳しい反応はあまり伝わってきませんでした。

遠藤　北朝鮮にとっても、軍事情報を韓国が日本やアメリカに「密告」するのですから、「そんなことをして何が南北統一だ」と怒っています。

韓国の文在寅《ムンジェイン》大統領は、南北の平和統一を掲げて北朝鮮に呼び掛けたというのが唯一の手柄ではないですか。そして北朝鮮の非核化問題で、トランプ大統領との仲介をしてあげた、というのが彼の唯一の政治業績です。それ以外何もない。したがって、ＧＳＯＭＩＡを継続すれば、北朝鮮からも、中国からも非常に邪険にされ、威嚇を受けるだろうことは容易に想像がつきますね。

一方、中国にしてみれば、日米韓が安全保障上の連携をしているということは、言うならば対中包囲網を形成していることに等しいので、何とか日韓あるいは米韓を離間させたかった。だというのに、なんと日韓が勝手に仲たがいしてくれたので、習近平としては「笑いが止まらなかった」わけですよ。結果は肩すかしに終わりましたけどね。

田原　関係悪化の契機は、２０１８年10月、韓国大法院（最高裁）が出した第二次大戦時の朝鮮半島統治時代の朝鮮人徴用工に対する賠償判決です。日本は１９６５年の日韓請求権協定で賠償問題は解決済みとの立場ですが、韓国側は、雇用していた日本企業の資産差し押さえに動きました。

そして日本側は半導体素材３種類の輸出制限やホワイト国から除去しました。韓国側はそれに対してＧＳＯＭＩＡの破棄で応じています。日本は一連の問題に関連性はなく、ホワイト国からの除去は貿易問題だとしていますが、報復合戦と捉えられているのが現実です。ここには中国、北朝鮮との関係も影響していたのですね。

「徴用工」問題は明らかに韓国側に非がある

遠藤　発端が徴用工問題だったというのは間違いないでしょう。それに対して日本政府側は真正面から戦った方が良かったと思います。なぜなら日韓国交正常化の１９６５年の請求権協定で「完全かつ最終的に解決された」と明記されただけでなく、２００５年の盧《ノ》武《ム》鉉《ヒョン》政権下で、賠償を含めた道義的責任は韓国政府が持つべきだとの政府見解もまとめられているからです。当時、大統領の首席秘書官だったのは、なんと現在の文在寅大統領ですよ。

しかし、あのとき突然、国際情勢が変わった。当時の小泉純一郎首相の靖国参拝などで反日デモがアジアを席巻したことで、韓国も反日に代わったのです。

それでも文在寅大統領に、「あなたが仕えた盧武鉉大統領は韓国政府の責任だと言ったでしょう」と言いたい。それに関わったのだから、きちんと対応すべきなのです。少なくとも日本が支払った支援金は韓国政府が受け取っているのですから、韓国政府が責任をもって被害者個々人に支払えばいいのです。

にもかかわらず、文在寅は司法の判決に自分は関わることはできないなどと言い逃れをし続けた。だから日本から何らかの懲罰を受けなければなりません。

田原　さらに1998年、金大中《キムデジュン》大統領と、小渕恵三首相が韓国への植民地支配への反省を明記した「日韓パートナーシップ宣言」が交わされているのです。

ところで、日本はなぜ徴用工問題に関して真正面から戦わなかったと思いますか？　贖罪意識だと思いますか？

遠藤　いいえ、違うと思います。韓国が国際法違反をしているのは明らかですから、ここで贖罪意識などを持ち込むべきではないし、その余地はありません。

それよりもアメリカとの関係です。第二次世界大戦中のことに対象を絞ると、日本はアメリカにとって最大の敵でした。したがってアメリカでは、戦時中の日本の行動に関して日本側に立って発言すると、在米コリアンや在米の華人華僑たちから非難を受けます。彼ら彼女らは市民権を持ち、選挙権を持っている。ときには議員の当落を左右するほどの力を持っています。

また米議会自身も日本の戦時中に起きたことに対する反省が足りないとして声明を出したりすることもあります。たとえばオバマ政権の時にＣＲＳ（米議会調査局）が安倍首相の慰安婦問題に関する態度が悪いとして、２回にもわたってＣＲＳリポートを出したことがあります。

それくらい、どんなに日米関係が蜜月だといっても、ここは線引きがあります。だから日本は半導体材料やホワイト国除外などによって韓国に懲罰を加えたものと思いますね。日本は「次元の違う話だ」と言ってはいますが、半導体材料やホワイト国除外などが唐突過ぎて、少々整合性に欠けるようにも思います。

田原　なんで日本は韓国をホワイト国から外したか。官邸とべったりの経済産業省が関係している。外務省は関係ない。貿易制限をすれば、韓国は徴用工の問題を撤回すると思った。

遠藤　それよりも、なぜあの時期だったか、ではないんですか？　７月初旬。７月10日には参院選がありました。そして日本国民の嫌韓感情が沸き上がっていた。選挙民を惹きつけるには、見事なタイミングだと思いますが。日本の半導体業界の方たちの困窮には配慮してないですね。韓国に懲罰を与えるには、もっと他の方法があったのではないかと思いますが、手っ取り早かったのでしょうか。民主主義の脆弱性の一面と言えます。

日本の半導体素材輸出規制とホワイト国除外は失敗

田原　なぜいまこのタイミングで、韓国は徴用工の賠償問題を持ち出したのか。

遠藤　それは韓国の政権と裁判所が癒着しているからでしょう。

田原　三権分立していない。

遠藤　三権分立を全くしていなくて、前政権の朴槿恵《パククネ》大統領が裁判所とコネを持っていて、徴用工の賠償問題が提訴されていたのに、審理しないで、５年間もたなざらしにしていたんです。その朴槿恵が弾劾されて牢屋に入った。最高裁付属機関の前次長も逮捕されました。それで突然、徴用工判決が出されました。朴槿恵時代は日本との関係を良好にしておこうと、審理されていなかった。ところがそれをひっくり返して、文在寅は判決を出させたわけです。

田原　最大の原因は韓国の経済の悪化ですよ。失業率がドーンと高い。経済が悪化したら、どの国の政権も、前政権を批判するのです。

遠藤　確かに経済の低調さはありますが、韓国は常に前の政権の大統領を逮捕して投獄しているではないですか。

田原　文在寅の側近、曺国《チョ・グク》法相を強行任命しましたが、娘の不正入学問題と、それに加担したとされる妻など家族の疑惑に関連して辞任させられました。２０２０年の総選挙で率いる「ともに民主党」が負けると文在寅も危ないですね。

遠藤　大統領を辞めたら文在寅もまた監獄行きでしょう。

田原　問題は韓国の経済なので、二階俊博自民党幹事長には、経済援助など含めて、韓国と話し合う必要があると私は提案している。安倍晋三首相は2019年11月、東南アジア諸国連合（ASEAN）首脳会議でバンコクを訪問中の文在寅と11分間、歓談したと発表されました。徴用工問題で正式な首脳会談がまだできないでいるが、党は内閣とは別なので、関係の改善に努力したいと二階さんは言っています。

韓国としては、今日まで日米韓で安全保障上の連携を保ってきました。わざわざ日韓のGSOMIAを最近になって結ぶというところまでしたのに、日本が韓国の最も痛いところをついて半導体素材の3つの種類を輸出規制した。

あれは失敗だった。韓国の経済を悪くするようなことをしたら、韓国がGSOMIAを破棄して来るのは当たり前じゃないか、と言いたい。

遠藤　そうですか？　しかし、それならなぜ、GSOMIA破棄が実行されるギリギリの数時間前になって、韓国はいきなりGSOMIA破棄を撤回するなどという、とても考えられない唐突の決定をしたのか。これでは韓国のこと、ますます誰も信じなくなるでしょう。

田原　遠藤さんは韓国がギリギリでGSOMIA破棄を撤回したのは、なぜだと思っているんですか？

遠藤　韓国軍とアメリカ軍の蜜月関係です。韓国軍の制服組エリートたちの、米軍との関係の良さというのは想像を絶するほどですね。

私は1990年代、筑波大学で教鞭をとっていたときに、「中国人留学生の米国留学組と日本留学組の帰国後の留学効果に関する日米比較追跡調査」というのをやったことがあります。韓国に関しても予備調査の段階までやったのですが、そのときにアメリカ留学組の韓国人留学生が、どれほど多く韓国軍の制服組エリートになっているかを知りました。彼らはアメリカを尊敬し、アメリカ軍に対して、まるで義兄弟のような深い緊密感を持っています。

今般も、ギリギリになって、どれだけ多くのアメリカの国防関係者が韓国に通い詰めたか。あのときの韓国側国防関係者の、あの爽やかな、誇らしげな笑顔……。「あれ？　これは、ひょっとして……」と思いましたね。そうしたら失効直前になって、いきなり破棄を撤回した。つまり、一連の動きを通してはっきり見えてきたのは、文在寅政権は「軍を掌握していない」という事実ですね。軍に詰め寄られて、屈服したとしか思えません。

田原　ほう――！　これは初めて聞いた論理ですね！　これは驚きました。

遠藤　教育現場にいて、人材を養成する業務に携わってきた者から見えた、小さな事実です。

それよりも私が言いたいのは、日韓の仲が悪くなって喜ぶのは誰かということです。日韓が離反すると日米韓の連携が崩れ、習近平がほくそ笑む。当然、アメリカと対立しているロシアのプーチンも喜びます。日韓の離反は中国の思う壺なのです。そのことを主張したい。それにしても田原さんは中国に関してだけでなく、韓国に関しても「仲良くしろ」と二階さんにアドバイスしておられるんですね。私は何よりもそのことに驚いています。

3

「一帯一路」日本参加の是非

「一帯一路」が示す中国の野望

田原　さて、そこで日本の中国政策に話を移しますが、安倍さんは今、日本と中国は非常にいい関係だと言っている。習近平の国賓来日も２０２０年春に実現しそうです。しかし遠藤さんは、日本政府の対応をとんでもない、と言っている。どうしてですか。

遠藤　アメリカはいま国家の命運をかけて中国の台頭を潰そうとしている。貿易戦争の範疇を超えて覇権争いをしています。そのようなときに言論弾圧などをする中国の成長を助けるようなことに手を差し伸べるべきではない。それがまず一つ。

次に、中国はこれまで、アメリカとの関係が悪くなったら日本に微笑みかけてきた。もう見え透いた常套手段ですよね。だというのに「日中関係は正常な軌道に戻った」と言って喜んでいるのは危険すぎませんか？

また、香港市民があれだけ民主を求めて戦っているのに、その若者たちを強力な経済力と軍事力をちらつかせながら押さえつけているのが一党独裁の中国共産党政権ですよ。ウイグルの問題だって然り。そのトップに立っている習近平を国賓として招こうなどということは、中国の人権弾圧を容認したということになる。

最も重要なのは、相手がこちらを必要としているときだからこそ、「俺に会いたいのなら、先ずは尖閣問題を解決せよ。あれは日本の領土だ。手出しするな」と言える唯一のチャンスなのです。だというのに、必死になって習近平を国賓として招くための赤絨毯を用意している。何を考えているんですか！

田原　もっと毅然とせよということですか。

遠藤　当然です！　こういうときにこそ毅然として「会いたいのなら、先ず尖閣問題を解決せよ」と迫るべきなのです。日本人を数多く拘束しているのに、自国民の命を守ることに対してさえ表立って毅然とモノが言えないなどというのは、あまりに情けなく、日本国民の利益と尊厳を、あまりに損ねる行為です。

田原　私は安倍内閣が、中国の「一帯一路」（注⑮）を認めることはいいことだと思うが、どうですか。

遠藤　絶対にやってはならないことです。

田原　やむを得ないと思いますが、なぜいけないんですか？

遠藤　「一帯一路」は、中国がアメリカに代わってグローバル経済によって世界を制覇しようという目論見で実行しているのですよ。トランプがグローバル経済に背を向けて一国主義に走っているのをチャンスと見て、中国は全力を注いで一帯一路を通して、より多くの国を惹き

図表4-1　1990－2015年 対中 国別投資推移

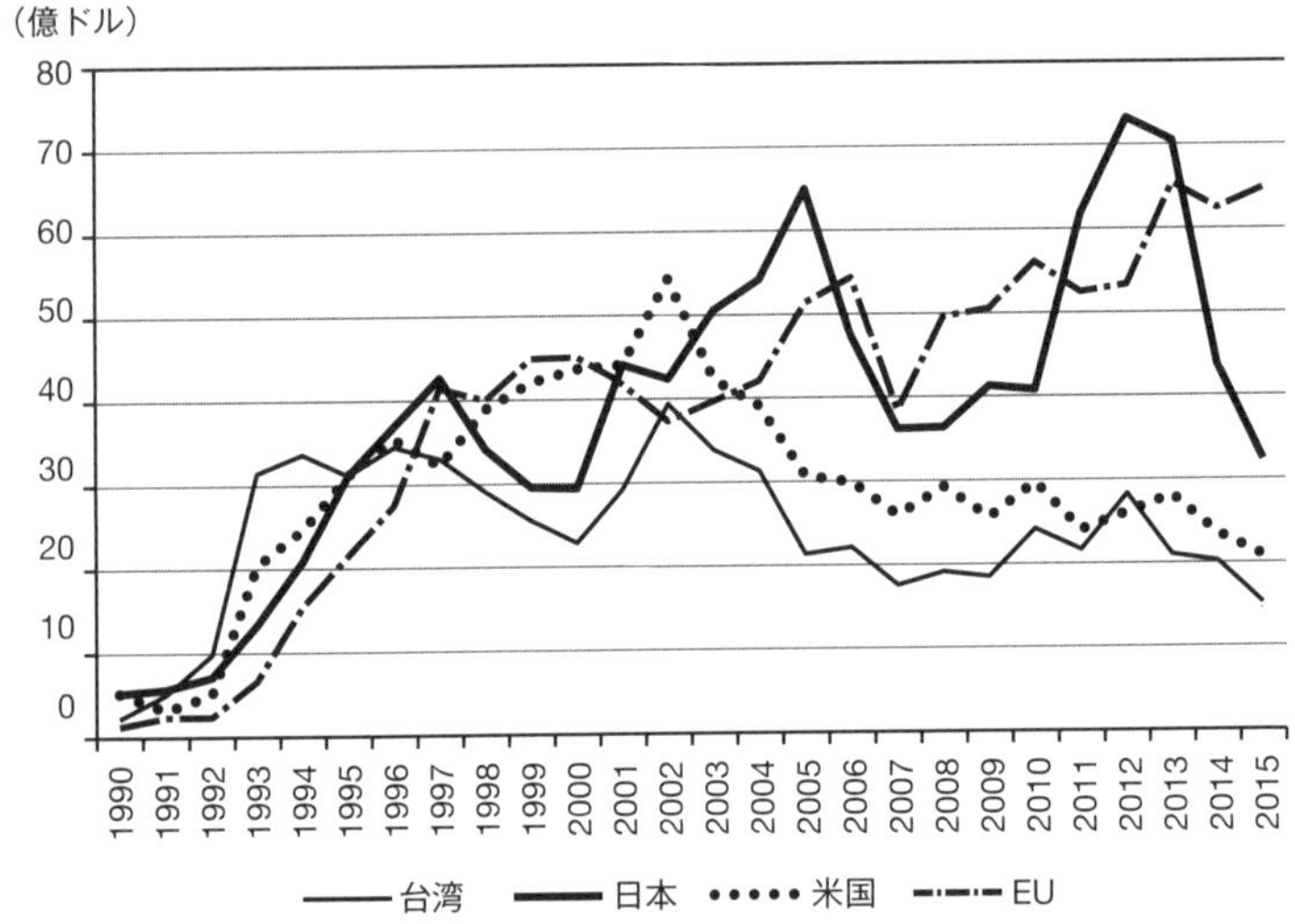

出典：中国商務部

つけ、巻き込み、アメリカに対抗しようとしている。

もう一度、第3章でお示しした図表3－2を図表4－1としてお示しします。

この中のEUの対中投資の推移に注目していただきたい。これは中国商務部の2016年データなので、2015年までのデータしか取っていませんが、それでもEUの対中投資額が右肩上がりに増えているのが見て取れますでしょう？

これは一帯一路にEUの多くの国が加盟しているからなんです。

もう一つ、これは私が個人で中国国家統計局が出しているさまざまなデータからヨーロッパとEUに焦点を当てて、2018年までの統計を取ってみました。図表4－2をご覧ください。

図表4-2　EU対中直接投資額推移

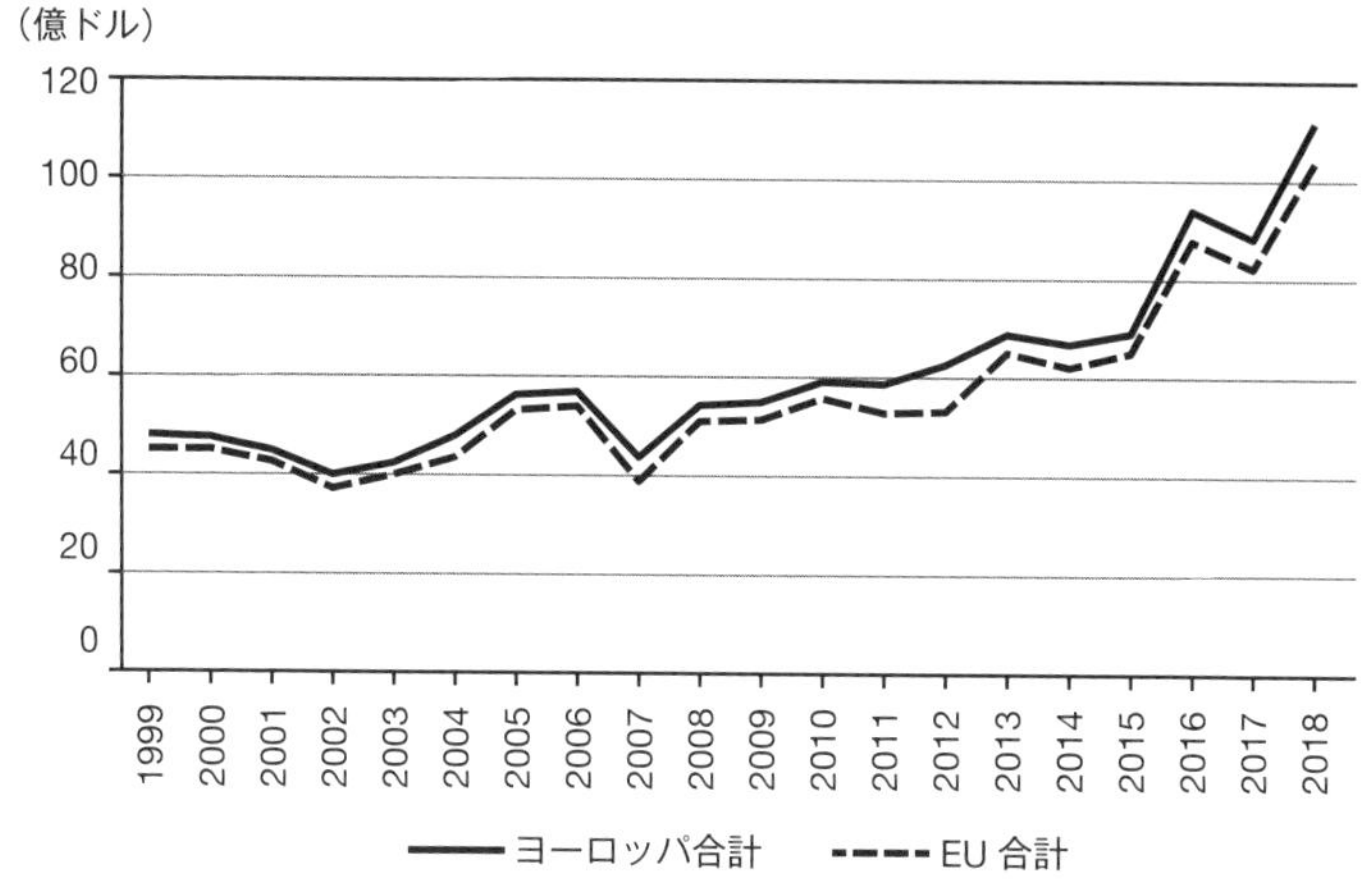

出典：中国国家統計局など

如何ですか？

ヨーロッパは2015年あたりから一帯一路に加盟していますが、2015年以降、ヨーロッパの対中投資が急激に伸びていますね。これが中国の国家戦略です。この中国の巨大戦略に日本は手を貸しましょうと言っているのですよ。アメリカを乗り越えるための中国の国家戦略です。

それでいいのですか？

(注⑮)【一帯一路】2014年に中国の習近平が提唱・推進している経済圏構想。。中国を起点として、アジア～中東～アフリカ東岸～ヨーロッパを、陸路の「一帯」(シルクロード経済ベルト)と海路の「一路」(21世紀海上シルクロード)で結び、ゆるやかな経済協力関係を構築するという国家的戦略。

手を取り合う二階氏と習近平（©AFP ＝時事）

激論！　日本が取るべき対中スタンス

遠藤　そもそも一帯一路への協力は、安倍さんが「自分を国賓として招いてくれ」と懇願したため、その交換条件として習近平が二階さんに突き付けてきた要求でした。「国賓として招かれたいなら、一帯一路に協力することが条件だ」と習近平に要求され、ひれ伏してその要求を呑んだのです。それが中共中央聯絡部の作戦でした。私はこのことを中国側のインサイダー情報として入手しています。

安倍さんが国賓として招かれるために、日本の尊厳やアメリカの国益を損ねた。

日本国民の尊厳と利益を、やがて損ねることに繋がっていきます。

この上の写真をご覧ください。二階さんが習近平と握手する姿です。習近平の手を高々と持ち上げて……、どう見ても対等ではないですね。こんな握手の仕方ってありますか？　この映像が、中国の中央テレビ局ＣＣＴＶで何度も流されました。日本が中国にひれ伏した映像として思いっきり利用されています。

これでいいのですか？　安倍さんが国賓として招かれることが、そんなに大事ですか？　自分の得票数を伸ばすために日本国民を犠牲にしてはならない。これは日本を中国に売ったに等しい行為です。そのお返しに、習近平に赤絨毯を敷こうとしている。

田原　習近平に赤絨毯を敷くのが、なぜいけないんですか。だいたい、世界制覇なんて、そんなもの成功するわけがない。このまま途上国に融資し、手を広げれば、焦げ付きやデフォルトにどこかで必ずぶつかる。中国はそんな野望を抱くより、国内問題の貧困格差や言論弾圧、人権問題などの解決に力を入れるべきです。

アメリカの国益を損ねると遠藤さんは言いますが、ペンス副大統領の演説は中国べったりで、トランプ大統領の関税強化を見送るなど、習近平の主張を受け入れているではないですか。

遠藤　まず前半に関してお答えします。そのようなことを中国に対して言葉だけで言っても、中国は痛くもかゆくもありません。それより、口先だけでなく、中国がその方向にしか動けないように、日本は「行動」で示さなければならない。

ところが実際に行った「行動」は、「どうか私を国賓として招いてください。どのような条件でも、あなた様が喜ぶ条件でしたら何でも受け入れますから」と習近平に懇願したに等しい行動でしかない。その方向に動けと二階さんに勧めたのは田原さんご本人だと仰っていましたね。中国共産党政権を強くすればするほど、人権弾圧と言論弾圧は強化されていきますが、それでいいんですか?

後半に関してお答えするなら、田原さんはペンス演説の、ご自分に都合のいい部分だけを抜き取っておられる。ペンス演説を私は7項目に分けて列挙しましたが(97頁参照)、最後の「7」だけがチリで開催されることになっていたAPECのためのディールで、他は全て中国の非民主性を激しく非難していますよ。

田原 日本は中国の非民主的な部分を認めてはいない。

遠藤 認めていないって、それ「口先」で軽く言っているだけではありませんか。バカげています。もし本気で認めないのなら、「お前の国はあまりに非民主的だ。それを改めない限り、私は訪中もしないし、あなたを国賓として招くこともしない」と言うべきなのに、全くその逆の行動をしている。「非民主的な部分を認めない」というなら、行動で示してください。安倍さんが国賓として招かれることを懇願して、相手の要求を呑んだり、どうか国賓として来日して下さいなどと懇願することは、中国の「非民主性」を肯定することになるのです。中国は日本を利用することしか考えてない。

田原 アメリカと中国は戦っているが、トランプ大統領の対中戦略がよく分からない。だから、日本はその真ん中にいて、アメリカとも、中国とも仲良くする。仲介役になればいいのです。

うまく付き合っていく。トランプはＯＫしているのですよ。

遠藤　「トランプの対中戦略が分からない」と仰りながら、「トランプはＯＫしているのですよ」と仰るのは、どうも矛盾していますね。それより私たちは、「日本人として、自分たちはどうあるべきか」ということを、自分自身の思考で考えなければならないのではないでしょうか。

中国が言論弾圧をするような国でないならば、どうぞ、いくらでも仲良くしてくださいと、私は言います。でも、どれほど言論弾圧をしている国か。くり返しになりますが、私自身が、旧満洲国の長春で、国共内戦（中国国民党と共産党の内戦状態）による包囲（卡子（注⑰））で、アウシュビッツにも匹敵する過酷な体験をしました。

家族ともども生死の境をさまよい、弟など肉親も餓死で失いました。餓死体の上で野宿し、記憶喪失にもなった。でも、その体験を書いた私の本を中国語版にして出版しようとしても、中国共産党はそれを許可しない。なぜならこれは、中国共産党の建国神話における、最大の汚点だからです。私は30年間待ち続けました。そしてこの本は台湾では出版されましたが、その間に中国大陸での言論弾圧はますますひどくなっています。２億台の監視カメラが人々の行動を追跡しているし、そのうち26億台になって、一人につき２台のカメラで全人民を監視するという状況になっていきます。共産党の一党支配を維持するために、これまで人類社会に出現したことがないような恐るべき監視社会に向かって動いているのが中国という国なんです。

（注⑰）【卡子（チャーズ）】「卡」とは人が番をしている狭い口をふさぐ意味で、「卡子」には「関所、検問所」の意味と、「挟むもの」という二つの意味がある。

日本は「友好の衣」に乗せられているだけなのか

田原 いや、そんなにいつまでも非民主的な国家運営を続けられるなんてあり得ない。必ず内部崩壊が始まりますよ。僕は胡錦濤政権時代に中国へ行き、閣僚たち3人とガンガン議論した。共産党の一党支配を現実として認めた上で、もっとどうあるか議論すべきです。

遠藤 甘すぎて、お話になりません。議論などして何になるんですか。中共中央対外聯絡部のプロパガンダ戦略に丸乗りではないですか。日本は内部崩壊しないように、一党支配政権に手を差し伸べているのですから、非民主的国家運営が続けられるように手を貸しているのと同じです。そうしておきながら、「議論しましょう」という中国の術策に乗っかっている。田原さんは中国の戦略である「友好の衣」にまんまと乗っかっているのです。

田原 いや、中国がまだ非民主的であるのは、習近平にまだ力がないからです。

遠藤 これはまた、驚きました。なんという論理をこねるのでしょうか。アメリカは1993年に「中国を豊かにすれば、きっと民主化するだろう」という夢を見て、今頃になってようやくそれが「幻想」であり「悪夢」だったことに気が付いています。そのことから考えても、田原さんの「中国が民主化しないのは、習近平にまだ力が足りないから」などという論理は、失礼ながら「ほぼ危険な妄想」と申し上げるしかありません。

論理性も欠如しています。中国最大の揺るがぬ国家命題は「中国共産党の一党支配体制を貫徹する」ということなのです。

トップの指導者として、習近平以上に力を持っている人は、中国建国以来、いまだかつていません。毛沢東以上に権力を持っています。日本が、中国が経済成長できるように手を貸し続けているから、その力はますます強大なものとなっている。

田原　このままいったら、習近平は後継者を創れませんよ。後継者を創ろうと思ったら、言論の自由を徐々に認めていかなければどうしようもない。早い話が、いま、習近平が世界を支配できるなんて思っている人はいない。

遠藤　一党支配体制の中国共産党が、言論の自由を認めるなんてことを考えるのは「夢を見ている」のと同じことで、そのようなファンタジーには反論する気にもなれません。

それに田原さんは、世界の何を見ておられるんでしょう。危機感がなさ過ぎます。

田原　ではなぜペンスもトランプも中国にこんなに甘いのですか？

遠藤　なぜ田原さんは、トランプやペンスが直近のディールのために譲歩している部分だけを切り取って「中国にこんなに甘い」とおっしゃるのですか？「アメリカも甘いのだから、日本も中国に甘くして何が悪い」という論理を構築したいのですか？

図表4-3 「世界のリーダー」に相応しい国

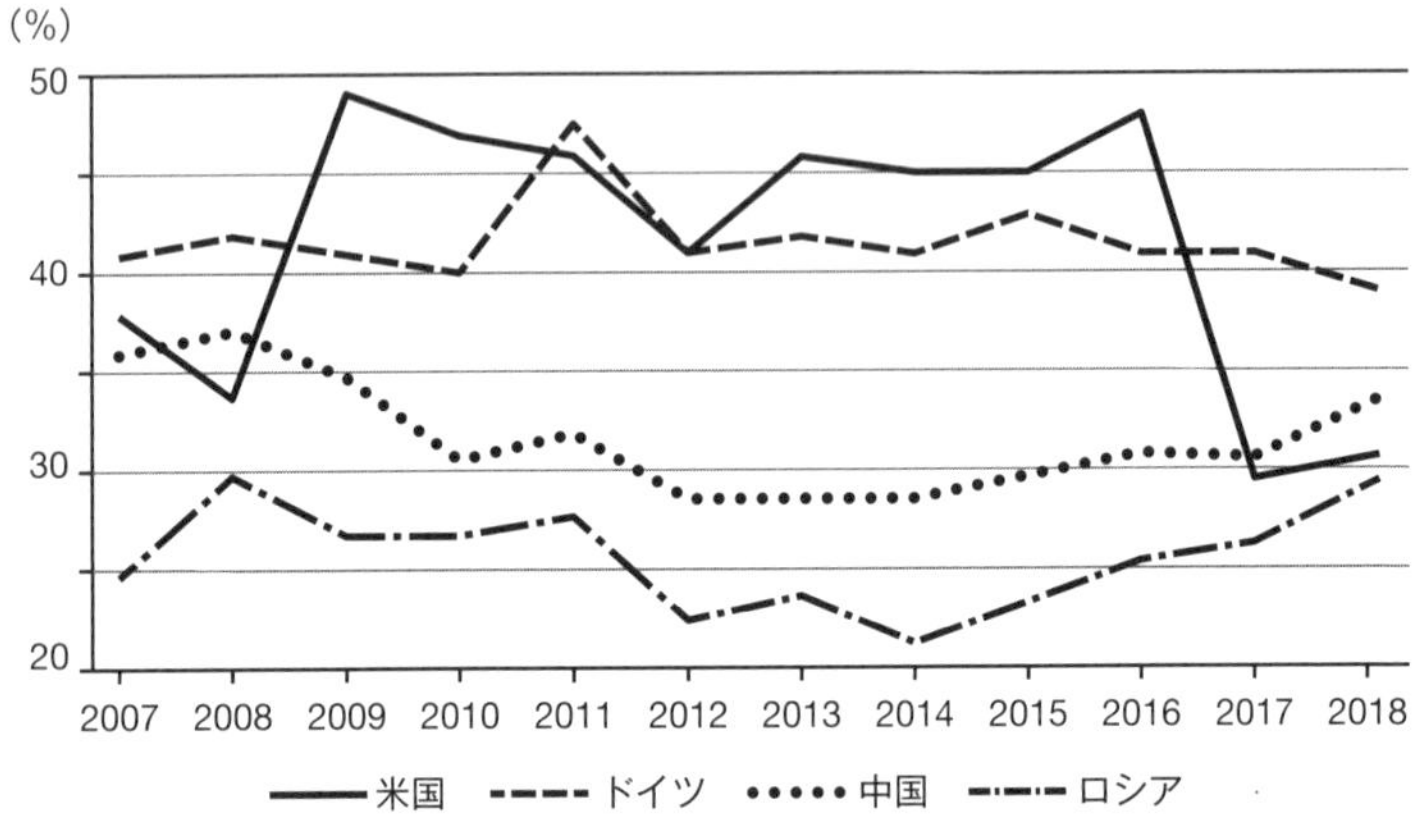

出典：ギャラップ

何度も申しますが、貿易における一時的な譲歩は、あくまでも大統領選を有利に導くためのディールであって、アメリカは中国が宇宙を含めたハイテクや軍事においてアメリカを超えることを絶対に許しません。そのためにも、中国の非民主性を糾弾する手を緩めることはないでしょう。

しかもアメリカには到底許せない現実が迫ってきています。ここにギャラップ社の調査結果があります。図表4－3をご覧ください。2019年2月に発表されたもので、133ヵ国・地域を対象として調査した結果です。オバマ政権まではたしかにアメリカを世界のリーダーにふさわしい国と世界は評価していた。しかしトランプ政権になってからというもの、アメリカの威信は地に落ち、2018年では中国がアメリカの上に行ってしまっているのです。

こんな現実がやってくるかもしれない危機が目

の前に迫っている。そこには目をつぶって日中友好を礼賛なさることに、私は賛同することはできません。

「豊かになれば民主化する」は幻想か

田原　いや、中国人民が豊かになれば、中国は民主化するようになると思う。

遠藤　それは断じて違う。何度も申しあげますが、アメリカが天安門事件後の1993年に、経済制裁を解いて経済的サポートを始めたときに見た夢と同じです。ペンス副大統領も演説で、支援すれば民主化すると信じたことを後悔し、これがアメリカの最大の過ちだったことを認めています。

田原　くり返しますが、ペンス副大統領も、アメリカと中国は一緒に協力できると言っている。

遠藤　何だか、ご自分に都合のいい部分だけを切り取っておられませんか？　それはその直後に米中首脳会談があることを想定してのことです。アメリカの国民に、トランプはこれだけの成果を上げたぞと、見せて票を得るというトランプの望みをかなえるために、そういうことを言っているだけです。ディールのための、暫定的な話でした。

田原　そういうけどね、中国は輸出しなければ発展しない。世界と仲良くしなきゃいけない。

遠藤　何を仰っているんですか？　グローバル経済は中国の「武器」に等しく、トランプが「一国主義」を唱えて、むしろグローバル経済に背を向けていることをいいことに、習近平は「人類運命共同体」というスローガンを叫びながら、アメリカ以外の全世界の多くの国を中国側に引き寄せようと狙っている。そのターゲットの一つは日本で、日本はまんまとその術策に乗っかってるではありませんか。

中国はむしろ、アメリカ以外のどの国とも「仲良く」して「笑顔」を振りまき、「アメリカなしでも貿易が成立するような国家戦略」を進めているのです。「一帯一路」然り、「ＢＲＩＣｓ＋22ヵ国」然り、アフリカ53ヵ国、ＥＵ……と、枚挙に暇がありません。

国内に関しても「輸出しないと発展しない」という状況にさえない。なんといっても人口が14億人もいるのです。

田原　それは大きい。

遠藤　中国には一つの世界がある。14億人だけで生きていてもいい。消費も、イノベーションも盛んです。今、中間所得層が４・５億人いて、富裕層を入れれば６億に達します。爆買いで全世界を席巻するぐらい、購買力は高いでしょう。爆買いで世界を荒らしにいく国がほかにあるでしょうか。中国ぐらいです。貿易をしなかったらそれでだめになるということはあまりない。

そうはいっても、アメリカとの貿易がゼロになればダメージはあるでしょうから、そうなった場合でも成長をし続けることができるように、日本を中国側に付け、かつ「一帯一路」というグローバル経済圏で十分な交易をする計画です。

田原　遠藤さんの中国に対する見方はほとんど正しい。私の信頼する中国通の著名なジャーナリストも、遠藤さんと同じ考えです。安倍さんも遠藤さんと同様の考えをしていると思う。だが、国賓として迎えることにしている。国益のためです。同じ意味でデモクラシーをバカにしているトランプと付き合っている。

遠藤　私の考えを認めてくださって、ありがとうございます。感謝いたします。ただ、「安倍さんが私と同様の考えをしている」と言われますと、戸惑いますね。と申しますのは、こと「習近平国賓来日」に関しては、私は安倍さんとは正反対の考えを持っているからです。

民間企業がそれぞれのビジネス上のニーズに応じて中国と交易することは良いことだと思います。それは自由であるだけでなく、中国共産党による一党支配体制が崩壊したときには、日中双方にとって重要な経済的支柱になる可能性があります。

しかし国家として中国にへつらい、習近平を国賓として招くことは、中国の言論や人権への弾圧を肯定するというシグナルを全世界に発信することになるので、それをすべきではないと言っているのです。結果的に中国の力を強くさせていきますから国益に適《かな》いません。

田原　中国の民主化については、私は遠藤さんと意見が全く異なります。中国はもっと豊かになれば必ず民主化しますよ。だから私は二階さんや政府与党幹部にも早くから進言していますが、中国と仲良くしようという方針は間違っていないと思う。

遠藤　確かに、ここは激論の場ですから、意見は違ってもいいのではないかと思います。私は私の経験、研究から分析し発信しているのですから。田原さんもジャーナリストの経験から発言されていると思います。しかし、僭越ながら申し上げます。中国を「豊かになれば民主化する国である」などと考えるのは、中国の何たるかを理解していない人が言うことだと思います。アメリカがそういう幻想を抱き、トランプ政権になってようやくその間違いに気が付いたように、「中国とは何か」そして「中国共産党とは何か」を知らないと、多くの人が陥ってしまう幻想だと言っていいでしょう。

田原さんはペンス演説が指摘しているような「1992年、93年にアメリカが陥った幻想」から未だに抜け出しておられない。ですからここでは、しっかりご説明をすることをお許しください。

そもそも中国では長いこと、「おはよう!」という挨拶で「吃饭了吗?(ご飯食べた?)」という言葉を使ってきました。これは戦乱の世を生き抜き、食糧のない時代を耐え抜いてきた庶民の感慨が込められてきた言葉です。「ともかく生きていくためには何としてでも食べる」ということが「生きていくことの最大の価値」であったため、「食べること」を重要視するようになったのだと思います。

私が1948年に中国共産党軍による食糧封鎖で餓死者が続出し、「人肉市場」までが立ったという噂が流れる中、絶望都市・長春を逃れるために、鉄条網で囲まれた「卡子(チャーズ)」を潜り抜けたときのことです。チャーズの中の地面は餓死体に覆われ、野宿する場所さえなくなって、私たちはその餓死体の上で野宿したのですが、包囲網は一定間隔で埋め込まれた木の柵を鉄条網でつなげたものでした。だから包囲網の外に立っている見張りの共産党軍兵士は包囲網の中の、この世のものとは思えない惨状を直接、目の前でずっと見ているわけです。次から次へと地面に横たわっている難民が飢えにより命を落としていく中、共産党の兵士は平気で丼飯を食べている。

一方では、息絶えて間もない餓死体を人垣で囲んだ「闇」の中にズルズルと引きずっていく中国人難民もいる。「闇」の中から一筋、二筋、煙が天に立ち昇っていきました。どんな状況にあっても、どのような手段を用いても、「生きよう」とする中華民族の底力……。数千年にわたる戦乱の世を生き抜いてきた人々が培ってきた、ある種の民族性かもしれません。

野宿して４日目に、私の父が持っていた麻薬中毒患者を治療する薬の特許証を見せて、私たちは出門を許されたのですが、チャーズの門をくぐって外（解放区＝中国人民解放軍が占拠している区域）に出た瞬間、なんと、中国共産党軍がお粥を振る舞ってくれたのです。

包囲網の「一線」をくぐるか否かで、全てが区別されている。

なぜ――？

あまりの恐怖で私は記憶喪失になっていたのですが、記憶が回復した後、その「なぜ？」が頭をもたげて心に突き刺さり続けていました。

そして１９８３年に『卡子　出口なき大地』を執筆しているときに、ようやく分かったのです。

毛沢東はあのとき、

「誰が人民を食わせることができるかを思い知らせてやれ！
そうすれば人民は、食わせてくれる者の側に付く！」

という指示を出していたのでした。

これ以上に、中国を、そして中国共産党体制を如実に表した言葉はありません。

こうして中国共産党による中華人民共和国が誕生したのです。

いま中国共産党政権は「中国共産党が統治しているからこそ、中国人民は豊かになれたのだ」ということを日夜宣伝し続け、「豊かになることは、中国共産党の統治が素晴らしい証拠だ。したがって中国共産党の統治を、より堅固なものとしていかなければならない」と叫び続けています。

中国において「豊かになること」は、決して「民主化」につながりません。

逆に「中国共産党の統治能力を堅固なものにしていく」のです。

ものごとに「絶対はない」と言われても、これだけは「絶対！」と私は言い切ります。

先ほどまで（これまでの章で）何度か、中国には既に4・5億人におよぶ中間所得層がおり、1億以上の富裕層がいると申してきましたが、この人たちはほとんどが、何らかの形で中国共産党の恩恵を受けてきた人たちなのです。豊かになれば「自分を豊かにしてくれた党を倒す」

というようなことはあり得ませんね。

一定程度豊かになった人たちは政治を語りません。「政治を語って飯が食えるのか?」と考えています。「飯が食えればいい」のです。多くの人民にとって必要なのは「社会の安定」と「豊かな収入(存分に食べられること)」です。これは中国共産党の党の方針と完全に一致しています。

中華人民共和国の建国の父である毛沢東が「農民」であったことも忘れてはなりません。

朝の挨拶が「吃饭了吗?」であるという「民族性」と毛沢東の「農民の血」を考えれば、「農民革命」によって誕生した中国が、かつてのソ連を含め、世界に存在した、あるいは現在も存在するどの共産主義国家とも異なる特異性を持っていることが、これでお分かりいただけるのではないかと思います。

「中国が豊かになれば民主化する」と未だに非現実的な夢を描いている日本人など海外の人たちによって、中国共産党の一党支配体制は、こうしてより盤石で強固なものになりつつあるのです。

私は安倍さんにも田原さんにも、「どうか目を覚ましてください」と言いたいです。

「中国とは何か」を、私たちは虚心坦懐に深く理解しなければならないのではないでしょうか。

中国は今、日本が味方になってくれることを必要としているのです。だからこそ、日本は習近平に毅然として要求を突きつけなければならない。数少ない唯一のチャンスなのです。習近平国賓来日を手放しで肯定することは、絶対にあってはなりません。米中対立の中、日本の対応がきわめて重要になっているのです。毅然としてほしいと、強く望みます。

第5章

中国経済とハイテク国家戦略を斬る!

1

中国経済は「量から質へ」転換した

量的な成長より、質的成長を重視してイノベーションに全力注入

田原　中国国家統計局が発表した2019年7～9月期の国内総生産、実質GDPは前年同期比6・0％増で、成長率は4～6月期6・2％増から0・2ポイント下がりました。中国が事前に許容しているギリギリの範囲内の成長率ですが、これはアメリカとの貿易戦争の影響ですか。なぜ中国経済がスローダウンしているのですか。

遠藤　もちろんアメリカの影響はありますが、中国のGDP成長率を分析するときには、2014年に発布された「新常態（ニューノーマル）」を考慮に入れなければなりません。これは「GDPの量的成長を抑え、質の向上に転換していく」という意味ですが、実は2015年に発布されたハイテク国家戦略「中国製造2025」（注⑱）と関係があります。

中国は2010年ごろまで世界の工場としての役割を担い、その結果、GDPの規模を大きく伸ばしてきました。しかし、いつまでも中国が世界の組み立て工場のままでいますと、絶対にそれ以上経済は伸びない。東南アジアの新興国は安い労働力で中国を追い上げてきましたが、

ならば中国は先進国にキャッチアップできているかというと、そうではない。

田原　「中進国の罠」ですな。

遠藤　はい。その「中進国の罠」から抜け出すにはイノベーションしかありません。そこでハイテク国家戦略「中国製造２０２５」に着手して、量的経済成長から質的経済成長へと舵を切った。いわゆる「量から質への転換」です。研究開発に予算を注げば、当然、ＧＤＰの規模の増加率（ＧＤＰ成長率）は鈍ります。

ですから、ＧＤＰの成長力が今回６・０％に落ちたからと言って、「ほら見ろ、もう中国は滅びるぞ。中国経済は崩壊する」と見るのは、少し違うでしょう。

田原　日本では「中国経済がおかしいぞ」と、見ている人が多い。

遠藤　おかしくないわけではないんですが、ただ「中国はこれで、もう滅びるぞ」という見方をすると、がっかりするかもしれません。というのは、ＧＤＰの成長率は落ちますが、その分だけ研究開発が進んでいますから、ポテンシャルが高くなっていることになります。

田原　その戦略をちゃんと計算して、計画的に進めているからこその経済停滞というわけですか。

遠藤　その要素は無視できません。イノベーションの力をすべてそこに注いで、やがてアメリカに追いついて、追い越す。そのために経済の量から質への転換をはかって、「新常態」を作ろうというのが中国の戦略です。そこに目を向ける必要はあるでしょうね。

（注⑱）【中国製造２０２５】２０１５年５月に中国政府が発表したハイテク国家戦略。製造業に必要なパーツにおける核心的技術を中国の自給自足にしていくことと、最先端技術のイノベーションによって中国を製造強国にしていこうという製造発展のロードマップ。同時に宇宙開発によって中国を宇宙強国にしていくという戦略も含めて、２０２５年までの目標を示した。中国建国百周年にあたる２０４９年まで３段階に分け、第１段階の２０２５年までに「世界の製造強国入り」を果たす。第２段階の２０３５年までに中国製造のレベルを、世界の製造強国陣営の中位ぐらいに高め、第３段階として２０４５年にアメリカを抜き「製造強国のトップ」になるという構想をいう。

中国製スマホの中身は日本製部品

遠藤　中国がこの「中国製造２０２５」に行きついた、言ってみれば、そうせざるを得なかった直接のきっかけは、実はこれもまた日本なのです。２０１２年９月の尖閣諸島の国有化が発端でした。

田原　あれは民主党政権時代ですね。東シナ海に浮かぶ尖閣諸島を国有化して、中国政府から激しい反発を受けたし、民衆も日本企業の工場、お店、日本車を壊して、すさまじいデモを展開しました。

遠藤　中国国内で日本に対して大変な抗議デモがあり、また、日本製品の不買運動が行われました。ところが、「抗議デモに行こうぜ」「日本製品は買うな」と呼び掛け合っているそのスマホ、中身を開けたら主要部品のほとんどが日本製だったわけです。

「スマホの外側にはメイド・イン・チャイナと書かれているが、中を開いてみたらメイド・イン・ジャパンじゃないか。日本製品ボイコットと気勢をあげているのに、スマホの中身がメイド・イン・ジャパンなら、このスマホも捨てるのか」

「反日デモ、日本製品ボイコットでデモをしている自分たちがこのスマホを使っていいのか。ふざけるな」

との声が起きました。彼らにしてみれば明らかな自己矛盾であり、大きな屈辱感を覚えたのでした。ある意味、絶望的な現象に思えたのでしょう。

「われわれをこんな屈辱的なところに追いやったのは、世界の下請け工場に甘んじて、技術開発を怠った中国政府だ。許せない」

と、反日デモが、最後は反中国政府運動に向かったのです。

田原　反日デモが、翻って、反政府運動に変わった。

遠藤　そうです。デモの反政府運動が激しくなったので、当時の胡錦濤政権は、この状態を放置させておくと、次の国家主席になる習近平に平穏な状態で政権をバトンタッチできなくなるという危機感を募らせました。中国では党大会を開く直前は、天安門広場には猫の子一匹通させないというほど治安に関して極端な警戒態勢に入ります。このままだと党大会が開けない。

そこで胡錦濤はデモを強引に鎮圧しました。鎮圧するために武装警察が出動し、デモ隊がたくさん逮捕されてしまいました。さすがに軍は出ませんでしたが。

田原　今回の香港のデモと違って、あの時の反日デモは収束も早かったですね。

遠藤　そうなんですよ。あのときの反日デモには、天安門事件で「共産党一党独裁反対」、「言論の自由を求める」というような、つまり、今の香港デモのように政府に真っ向から反対するような根性のある人はいなかった。社会や階層格差に不満を持っている人たちがノリで参加していたようなところがあります。

当時の反日デモ参加者は出稼ぎの農民工と言われる労働者が、日頃、貧富の格差で不満を抱いていて、「反日」のスローガンを借りて、そのうっぷんを晴らすという側面がありました。だから割合に早く鎮圧されました。

このデモを通して、習近平は「反日デモの怖さ」を思い知ったことでしょう。ですから、習近平政権になってからただの一度も中国国内で反日デモは起きていません。反日デモが起きたら、必ず反政府デモになるので、それを恐れて反日デモが起きないようにしています。

2

アメリカが恐れるファーウェイの実像に迫る

アメリカは本気でファーウェイを恐れている

田原　２０１２年の尖閣諸島問題が、２０１５年の「中国製造２０２５」の国家戦略へとつながっていったとは意外でした。

遠藤　反日の衣を着たあの反政府デモを二度と起こさせないようにするためにも、習近平は何としてもハイテク国家戦略「中国製造２０２５」を断行しなければなりませんでした。

田原　アメリカは本気でハイテク界におけるトップの座を中国に奪われると危機感を抱いているのですか？

遠藤　これまでアメリカは第二次世界大戦以降、あらゆる分野でトップだという意識があった。経済においては今までトップですが、中国が追い上げています。ここに来てハイテク界においても中国がアメリカにキャッチアップし、ひょっとしたら中国がトップにのし上がるかもしれないという危機感を抱き始めたと思われます。

田原　これからの米中の主戦場になる次世代通信システム５Ｇ開発競争では、中国企業のファーウェイ（華為技術）が圧倒的に強いといいます。それは本当ですか？

遠藤　少なくとも2019年4月3日に米国防総省が発表した「5Gエコシステム：国防総省に対するリスクとチャンス」という報告書では「アメリカは5Gにおいて中国に敗けた」と書いていています。この「中国」というのは即ち、「ファーウェイ」を指します。

田原　そのファーウェイという会社は、どんな企業ですか。

遠藤　ファーウェイは1987年、人民解放軍をリストラされた任正非《じんせいひ》が創業した民営企業です。30年余で売り上げが10兆円を超える世界的企業に成長しています。中でも高容量、高速度の5Gでは、田原さんが仰るとおり世界をリードしています。

田原　どうしてここまで成長できたのか、そこを知りたい。

遠藤　結論を先に申し上げると、海外に出たからです。

ただ、その前に、創業者である任正非のバックグラウンドについて少しお話ししておきましょう。彼の両親は学校の先生で、文化大革命のときに投獄されて、小さいころ、大変貧乏でした。藁の敷布団で一枚の掛け布団に親子3人が寝ていたといいます。そういうところから、チャンスがあったら、やってやるぞ、という闘志を持っていたようです。

ファーウェイは2万人民元、日本円で30万円ぐらいの資金で、友人とか5～6人をかき集めて、一人5万円ずつを出して創った会社でした。彼のもともとの専門は建築で人民解放軍にいたときも建築工程兵でしたから、ファーウェイは香港から電話交換機を仕入れて、少し高い値段を付けて中国大陸で売ることから始まりました。

当時、中国の人口は11億人ぐらいで、このうち1％ぐらいしか電話を持っていません。電話交換機が活躍していた時代で、まだ内線の回線数は500ぐらいの規模が中心でした。

毛沢東時代から、中国人民は国営企業の敷地内で仕事をして、国営企業の中にある宿舎で一生を終えるというのが、基本的な生活スタイルでした。大学もそうです。キャンパス内に病院も売店もある。固定電話が一つあればいい。任正非は電話交換機のニーズが高いのを見て、ブローカー的なことから始めています。

案の定、電話交換機はよく売れて繁盛しました。そこで代理販売だけでなく、自社でも電話交換機を製造したいと思うようになり、独自に研究開発をしようと思ったが、技術がない。そのため香港から来る点検技術者に従業員を同行させて、どんな仕組みになっているのかを、「目で見て学ぶ」ことから始めています。

ファーウェイは「家出」したから発展した

田原　それがファーウェイの研究開発につながっていったのですか？
遠藤　そうなのですが、その前に、奥さんとの話が案外キーポイントなのです。1987年に創業するのですが、同時に奥さんと離婚しています。奥さんの父親が四川省の党幹部で、奥さんが、家でも会社の職場でも権力を振りかざして、自分（任正非）は下請けのサービス部門に追いやられてしまいます。

田原　奥さんに左遷されたわけだ（笑）。

遠藤　それで不愉快な思いをして離婚したのですが、長い目で見れば、それが発展につながっていったと言えるでしょうね。

当時、国有企業ＺＴＥ（中興通訊）が、電話交換機を製造販売しており、ライバル会社でした。ファーウェイが香港から仕入れた電話交換機の質が高く、良く売れました。やがてファーウェイは、デジタルの電話交換機を自社製作しようと試みます。ＺＴＥの侯為貴ＣＥＯは政府のＩＴ関連部署にいた技術者で、中国政府の李鵬首相（当時）と仲が良い。ＺＴＥはファーウェイを目の敵にして、李鵬《りほう》首相を通じて融資をさせないようにした。

離婚に怒った義父も裏で動いたようですが、ファーウェイへの融資がすべて禁止されてしまいました。ファーウェイへの融資が完全に止まったのです。

田原　融資を止められたら会社がつぶれるでしょう。

遠藤　研究開発に資金を注ぎたいが、お金がない。困って、従業員に跪《ひざまず》いて「どこも資金を融資してくれない。みんな、頼むからお金をかき集めてみてくれ。１千万人民元を集めてきた人は１年間働かなくても給料を払う」と頼んだ。

田原　集まったのですか。

遠藤　はい。数十名の社員が本当におカネをかき集めてくれた。そのとき、任正非は「１株１元でみんなにすべての会社の株をあげる。私は１％の株だけもらう。（ファーウェイと）一緒に生きていこう」と宣言をした。みんなが株を持ち、工場が繁栄したら従業員のポケットも豊かになる、そういう制度を思いついて、任正非は窮地を乗り切ったのです。

こうした中、１９９３年および１９９４年に李鵬が国務院総理として「持ち株制度は社会主義制度に合致していないので禁止する」と国務院令を発布しました。

田原　ＺＴＥの肩を持ったわけですね。

遠藤　そうです。ところが、その窮地を知った、当時の朱鎔基《しゅようき》副総理がファーウェイを視察に行って、３億人民元を政府が融資してあげると言うのですが、任正非はその申し出を断ります。

田原　断った？　なんでまた？

遠藤　任正非は「政府と関係すると自由がなくなり、面倒なことになるから嫌だ」と答えています。元妻の父親が政府の高官だったために離婚までしていますので、よほど政府と関係しているということが嫌だったのだと思います。

田原　分からないではないが、もったいないなぁ。それで海外に出たのですか？

遠藤　はい。任正非は「中国にいたらいじめられるばかりだ。このままだと発展に限りがある」と思い、海外に進出することにしたのです。

田原　海外はどこへ進出したのですか。

遠藤　最初に飛び出した先はロシアで、１９９４年のことでした。

田原　ロシアですか。なぜまた？

遠藤　なぜロシアかというと、ヨーロッパは信用してくれないと思ったからだそうです。旧ソ連は１９９１年12月に崩壊して、その後、経済的にはかばかしくなかったので、ロシアならバカにされないだろうと思ってロシアを選んだ。ところがロシアは「自分は西洋だ」という自負心があって、ソ連時代から中国を田舎者と軽蔑していた。おまけに「中国のハイテク」など、あり得ないと受け付けなかった。

田原　ソ連はスターリン時代から、中国の毛沢東を軽蔑していましたからね。

遠藤　そうなんです。ところが１９９７年、ロシア財政危機が起きてルーブルが暴落します。すると、シーメンスやＮＥＣなどがロシアから撤退してしまって、ファーウェイだけが残りました。そこでようやくロシアはファーウェイを受け入れ、ファーウェイは「アルゴリズム研究所」を設置して小さな拠点をロシアに置くところまで漕ぎつけるのですが、98年にアジア危機が襲ってきて、ロシアはやむなくファーウェイを本格的に認めるようになりました。

　年表的には、海外進出は「１９９６年香港」、「１９９７年ロシア」という順番になっているのですが、最初に挑戦した場所はロシアで、最初に拠点を置くことに成功したのは香港というのが実態です。

田原　それはまた、拠点設置からして複雑な経緯があるんですね。

遠藤　そうなんです。それを2G時代から始め、コツコツと基地局などを作ってきた。
田原　だから今日の繁栄があるんですか。
遠藤　そう言えるかと思います。だから世界中に拠点が分布しています。資産に関しては現在、ネットでも資産公開をしていますので、誰でも見ることができますが、その資料などから見ると、中国国内からの融資はほとんどないに等しいくらい少ないですね。ほとんど海外の金融機関から融資してもらっている。こうしてファーウェイは海外で本格的に事業展開して発展していったのです。
たとえばZTEですが、国有企業ですから中国政府が際限なく投資し続けてきました。でも、どんなに国家資金を投入してもZTEは発展しませんね。中国政府から守られているからです。こういう企業は逆に発展しないのです。
田原　「家出」をしないとダメだということですね。それは皮肉だなぁ。

一党支配が崩壊しても生き残れる好例！

遠藤　日本ではファーウェイを「国有企業だ」と言う人がいますが、それは株主が誰であるかを見れば、一瞬で分かることで、むしろ「民間企業」であるということが重要なのです！
田原　というと？

図表5-1　2018年の中国ファブレス半導体トップ10社売上ランキング

ランク	企業名	収益額 2017年	収益額 2018年	前年比
1	HiSilicon（ハイシリコン）	387.0	503.0	30.0%
2	Unisoc（ユニソック）	110.5	110.0	-0.5%
3	Beijing OmniVision（北京オムニビジョン）	90.5	100.0	10.5%
4	sanechips（セインチップス）	76.0	61.0	-19.7%
5	Huada（ホワダー）	52.3	60.0	14.7%
6	Goodix（グーディクス）	36.8	32.0	-13.1%
7	beijing integrated silicon solution（北京インテグレーティッド シリコン ソリューション）	25.1	26.5	5.5%
8	Galaxycore（ギャラクシーコア）	18.9	26.3	39.0%
9	unigroup guoxin microelectronics（ユニグループ グオシン マイクロエレクトロニクス）	18.3	23.5	28.5%
10	GigaDevice（ギガデバイス）	20.3	23.0	13.5%

出典：Trend Force　［単位：百万ドル］

遠藤　田原さんをはじめ、日本の経済界の方たちは、中国共産党による一党支配体制が崩壊すると、中国経済も崩壊するので、中国共産党による一党支配体制を維持させなければならないと考える人が多いでしょ？

田原　そりゃそうですよ。今の中国が崩壊したら、多くの日本企業が困るでしょう。

遠藤　ところが、一党支配体制であるが故に、中国政府から無尽蔵に資金を注いでもらっている国有企業と、ファーウェイのような民間企業と、今どちらが強いですか？

田原　たとえば5Gに関しては、ファーウェイが世界一になりそうなので、まあ、中国内ではもちろん、ファーウェイが強いんでしょうねぇ。

遠藤　はい、圧倒的にファーウェイが強いです。同業で比べた場合、国有企業のZTEは、今ではファーウェイの足元にも及びません。図表5－1は、2018年における「中国ファブレス半導体トップ10社の売上ランキング」を示したものですが、ファーウェイ専属の半導体企業「ハイシリコン」がトップに来ていますでしょ？

田原　ファーウェイ専属の「ハイシリコン」というのは、どういう意味ですか？

遠藤　もともとファーウェイの一研究部門だった部局が「ハイシリコン」という企業名で独立したのですが、ここで製造される半導体は外販せず、ファーウェイにだけしか売りません。

田原　ダントツのトップですね。

遠藤　ですから、**たとえ一党支配体制が崩壊しても、民間企業が生き残るという絶好の事例が**ファーウェイなのです。

一党支配が崩壊したら大変だなどと経済界の人たちは心配する必要がありません。また逆に、「家出したからこそ発展した」という事実は日本企業にとって非常に示唆的で、日本企業にはこの精神が足りないのではないかとも思っています。

ヨーロッパにまで進出するファーウェイの基地局

田原　ところで、ファーウェイは海外ではどんな事業展開をしたのですか。

遠藤　通信機器に関する開発を次から次へと展開します。代表的なのが通信の基地局の建設です。ファーウェイはスマホの第2世代（2G）のときから基地局をコツコツといろいろなところに作り始めました。

百もご承知でしょうが、この基地局がなかったら、私たちはどんなにスマホを使おうとしても、電波が来ないので使えませんね。基地局があってこその、スマホです。基地局があるからこそ携帯電話を使えるのです。昔は電話線でしたが、いま私たちが使っているスマホは無線です。無線の場合は基地局が電波を出して、その電波を受けて初めて私たちは通話をすることができます。ファーウェイは、その基地局を2Gの時代から世界各国につくってきたわけです。

田原　日本にもありますね。

遠藤　ソフトバンクが使っています。ヨーロッパ各地にも進出していますよ。

田原　日本もヨーロッパの多くも西側諸国ですが、アメリカ企業ではなく、ファーウェイの基地局があるのですね。

遠藤　そもそもヨーロッパは「アメリカの言うことなんか聞くものか」と思っています。「あなたたち（アメリカ）の国の歴史を考えてごらんなさい。ヨーロッパの歴史がどれだけ古いものであるか、歴史の浅い国がコントロールできるとでも思っているのか」、とのプライドをヨー

図表5-2　2017年までの携帯通信インフラ(2G・3G・4G)シェア(企業別)

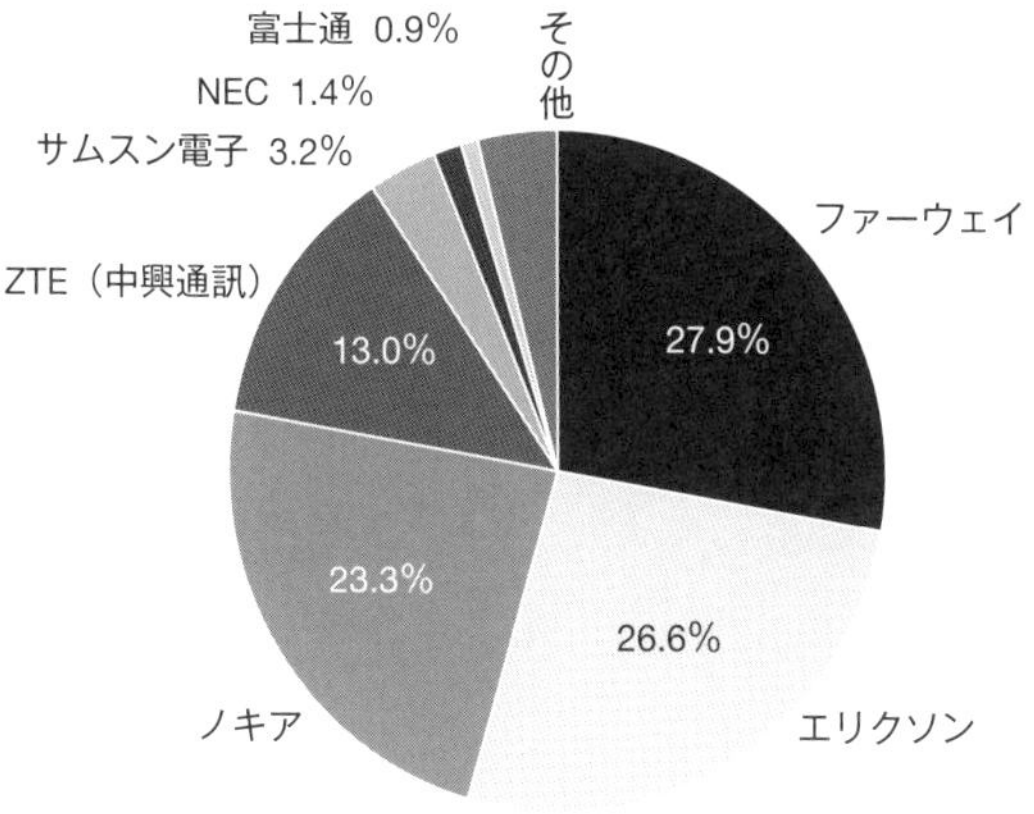

ロッパ諸国は持っています。

特にトランプ政権になってから、その傾向は顕著です。１５８ページでご紹介したギャラップ社の「世界のリーダーとしてどこの国が一番適切か」という調査（図表４－３）でも、アメリカはトランプになって極端な落ち方をしていますから。

田原　ヨーロッパはトランプを信頼していない。それは端々に感じます。

遠藤　それに、最初に基地局をつくるとき、設備投資に大変なお金がかかります。２Ｇから３Ｇに移るときに、まったく違う会社に基地局をつくらせたらコストがかかるから、どこの国もばかばかしいのでやらない。ゼロから設備投資が必要になりますから。現在ある基地局を少しずつバージョンアップしていく方が安くつきますね。

図表５－２をご覧ください。

２０１７年データですが、２Ｇがファーウェイ

図表5-3　2018年の携帯通信インフラ市場シェア(企業別)

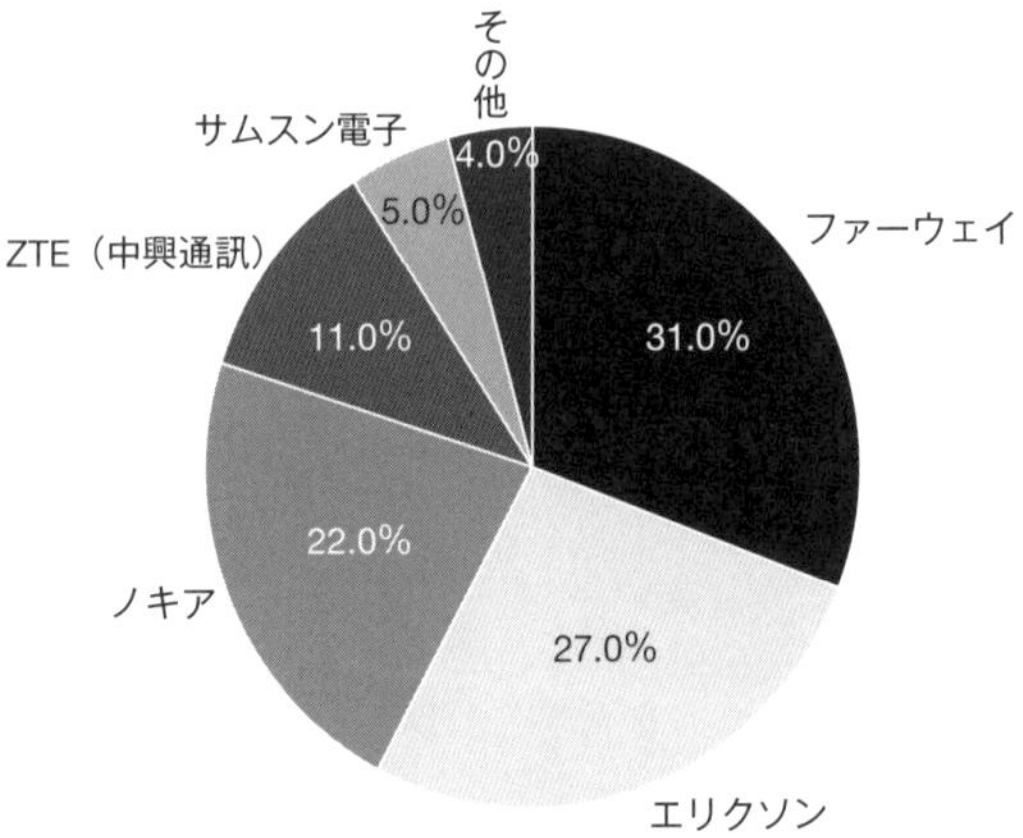

だと3Gもやっぱりファーウェイ。4Gもそうです。そうやって、もうファーウェイの基地局が世界中に散りばめられてしまっているのです。エリクソンも強いですが、上位にあるものが、さらに上位になる傾向があります。

その証拠に図表5-3をご覧ください。

2018年になると、1位だったファーウェイのシェアがもっと増え2位までは同じようにさらに増加しますが、3位以下は、少しずつ減っていってますね。シェアが大きいものがさらに大きくなり、シェアが小さいものは小さくなっていくのです。

田原　そう言われれば、確かにそうですね。それにしても、アメリカがないんですか?

遠藤　ええ、それこそが、一番大きな問題なんです。

田原　なぜアメリカは基地局をつくらないのですか。ファーウェイに負けずにどんどんつくればいいじゃないですか。

遠藤　一つには、アメリカは人口密度が中国と比べると小さい。アメリカと中国の国土の広さはほぼ同じ面積です。その国土に中国の人口は14億人。アメリカの人口は3億人です。

たとえば、一つの基地局を１０００人の人が使ってくれれば、使用料を徴収することによって採算が取れる場合、使う人が10人くらいだったときには、10人分しか使用料を徴収できませんから、採算が合いませんね。逆に、人口密度の低い地域に住んでいる利用者に、基地局を作るから、企業にとって採算の合う高い使用料金を払ってくださいと言っても、払いません。したがって、基地局をつくろうという企業がアメリカにはあまりないんです。

基地局を作る技術をアメリカは持っていますが、ビジネスとして採算が合わないのです。

田原　人口密度が低いと効率が悪い、だから事業者も興味を持たなかった。しかし、世界各国に基地を作ったファーウェイは、採算を考えなくてよかったのですか。

遠藤　採算はやがて戻ってくると計算していたのでしょう。

たとえばですが、ファーウェイが中国で電話交換機の回線事業を展開していたとき、日本の通信メーカー2社を含めて海外から7ヵ国が進出して、いろいろなハイレベルの電話交換機を売っていました。ところがそのときにサービスが悪い。交換機が故障しましたというときに、すぐ来てくれなくて、1年後にしか来ない。そこに目を付けて、ファーウェイはどんなに過疎なところでも採算を考えずにこまめにサービスをした。そうすれば、いずれは根を張るだろうと考えたのです。採算が合わなくてもコツコツコツコツと積み重ねていった。数でこなしていきました。

そうしてコツコツの範囲を広げていった結果、ついにヨーロッパという都市にまで染み渡ったということでしょう。

米中「5G戦争」の行方

田原　では、米中の「5G戦争」は中国の圧勝ですか。

遠藤　先のことは確証がありませんので何とも言えません。

今言えることは、現在私たちは4Gを使っていますが、これから本格的に5Gの時代に入ります。2020年あたりからほとんど5Gのスマホに切り替わって行くでしょう。どの周波数を5Gに使うのかということに関し、国際標準を決める一つの組織があります。その組織の中に、5Gに関して特許数の多い企業が入ってきて、いろいろ意見を言うことができるようになっています。

そのとき、特許の中に「必須特許」というのがあって、この必須特許がないと発言権がありません。この5Gの必須特許出願の企業別シェア（図表5－4）を見てみましょう。15・05％でファーウェイがトップにいて、ノキア、サムスンと来て、それから世界最高のアメリカの半

図表5-4　5G 必須特許出願の企業別シェア

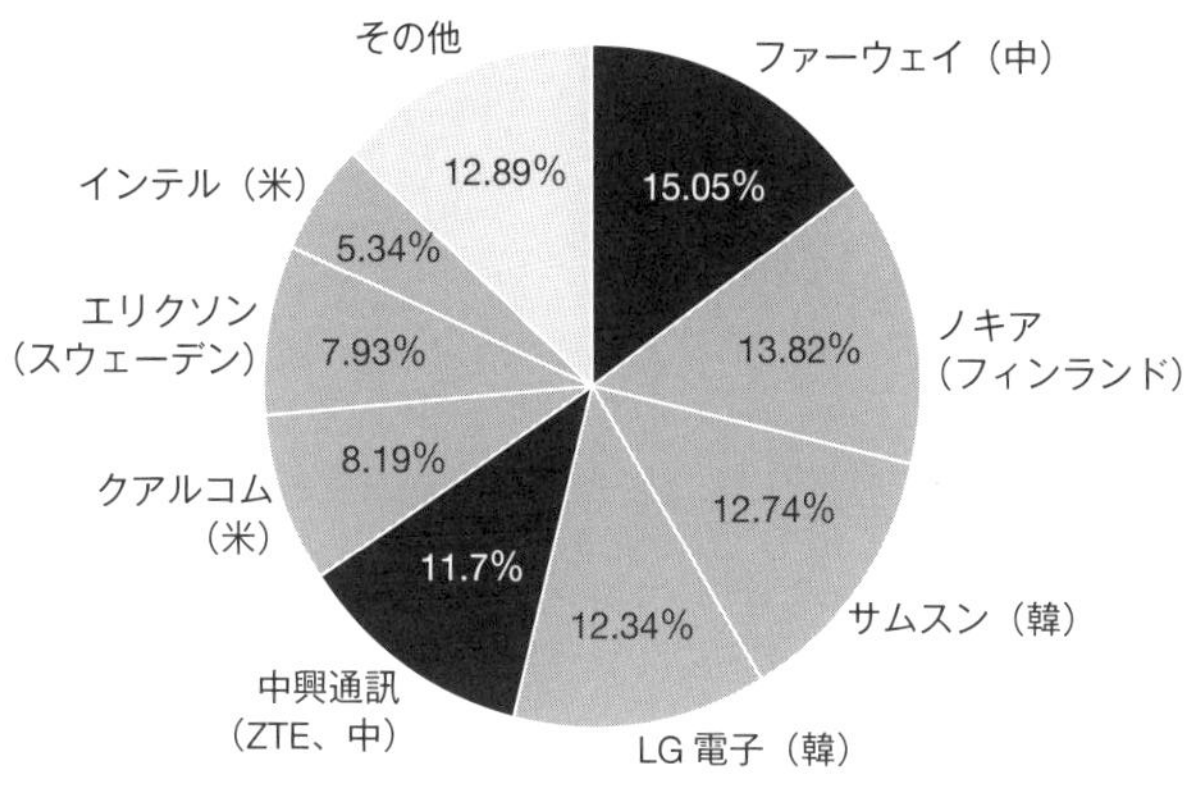

出典：IP リティックス

図表5-5　5G の必須特許出願の国別シェア

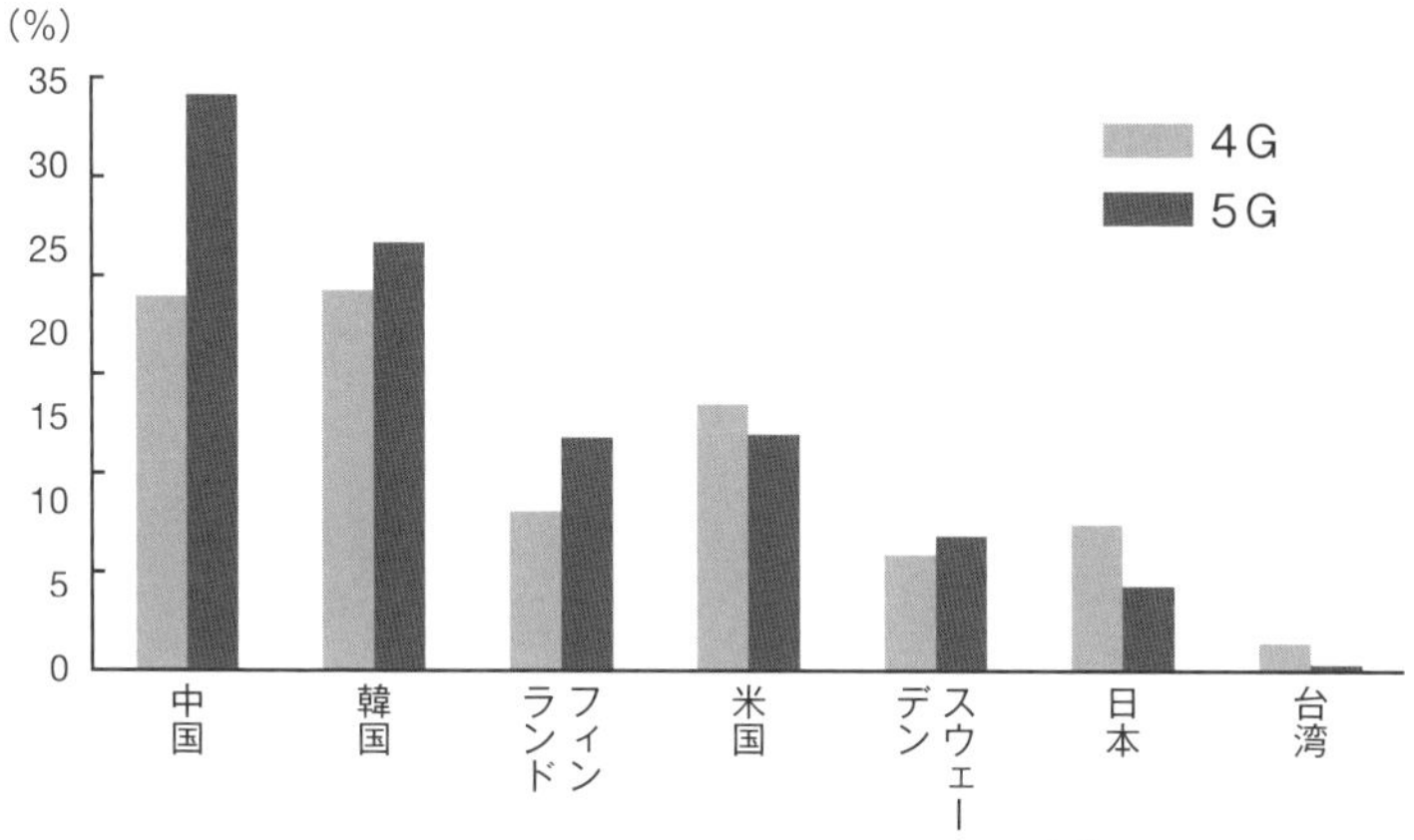

出典：IP リティックス

導体企業のクアルコムがきていますが、わずか8・19%ですね。

田原　この図を見ると、中国は合計26・75%、アメリカは合計13・53%で随分差がありますね。

遠藤　はい。次に「5Gの必須特許出願国別シェア」（図表5－5）をご覧ください。いま田原さんが仰ったとおり、5Gに関して、アメリカは中国の半分くらいしかありません。もっと怖いのは、アメリカは4Gのときよりも5Gのほうが減っているという事実です。それに比べて、中国は4Gよりも、5Gのほうが俄然増えている。

さらに、少し技術的な話になりますが、5Gの電波をどうするのか、それが5Gを利用する際に課題となる基本中の基本です。具体的にいうと周波数をどうするのか。中国は周波数の低い領域、低周波数を標準化すると主張しています。一方、アメリカは高周波数の領域が必要だと主張しています。

アメリカが高周波数のところしか取れていないのは不利なことです。なぜ低周波を取れないか。これは軍隊が低周波数を全部使ってしまっているからです。

軍隊の電波発信地があります。それと普通の人たちが使う電波周波数が同じだったら、軍と民間がお互いに干渉しあって電波が乱れてしまう。またセキュリティ上の問題も発生します。だからアメリカでは低周波を使うことはできません。

【遠藤注】低周波数は「音」に近い特徴を持っているために、建物があっても遮断されにくい。野原にAさんが立っていてBさんと話をしている場合、Aさんの後ろにCさんがいて声を出しても、Bさんには聞こえる。つまり、音は「回り込む」のである。だからビルの多い都会では遮断される度合いが低い。

一方、同じく野原にAさんが立っていて、その後ろに（太陽などの）光源があると、Aさんの影が野原に落ちて、Aさんの体によって光が遮断される（光は直進する）。雨が降っていても影ができて光は遮られる。高周波数領域の電波は光の電波特性を持っていて、光に近づくので、速度は速いが、建物などで遮断されてしまう。ビルだらけの都会では、高周波数領域を取ることは不利となる。ただ低周波数よりは速度が速いという利点はあるが、カバーできる領域は狭くなる。

国防総省報告書には5Gでは、主として中国がsub6 GHz（ギガヘルツ）という低周波数領域を利用し、日米韓が主としてmmWave（ミリ波）という高周波数領域を利用することになるとした上で、「もし、世界の主流がsub6となってしまうと、日米韓だけがガラパゴス化することになる」と警告もしている。

ちなみに中国は現在、約600万台の基地局を持っているが、アメリカは20万台ほどしか持っておらず、これこそは実は致命的だと報告書には書いてある（詳細は拙著『米中貿易戦争の裏側』）。

田原　そうなのですか、周波数がこんなに大きく関係している。

遠藤　この流れは非常にまずい。それなのに、これ以上、日本が中国を応援するようでは、益々中国が5Gというハイテク領域において、アメリカを大きく引き離すことになります。

だから私は習近平を国賓として招聘してはならないと言っているのです。

あらゆる側面から見て、言論弾圧や人権弾圧をやめない中国共産党による一党支配体制を強化させる方向にしか、日本は動いていないのです。

何としても、田原さんに、そのことを理解してほしいと私は切望しています。

田原　遠藤さんの言いたいことは分かっていますが、ちなみに、日本企業はどうなのですか。

遠藤　日本は5Gに関して特許は増えていますが、全体的に低い。言ってみれば論外です。日本ではかつて半導体の護送船団方式が採用されたことから、こうなったと思います。もちろん、5Gの特許件数が増えているのか、減っているのかが大事ではありますが、日本はこの分野で主導権を握るためには、スタートが遅すぎました。

いずれにしても、近く次世代の国際基準を決めなければいけません。周波数をどうする、基地局をどうする、などの標準を決めます。5Gでトップの座に就けば、その会社に対して他社が5Gを使用する際に一定の特許料を支払わなければならない。ですから、5Gでトップを独走中のファーウェイは将来、巨万の富を手に入れることになるでしょう。

田原　それにしても、最強のビジネス、企業活動を誇ったアメリカがどうして５Ｇ競争で中国に大きく水をあけられてしまったのでしょうか。

遠藤　アメリカのビジネスが衰退してしまったのは、前述した国防総省の報告書には、「中国のせいじゃない、アメリカ政府と議会が、自分たちのアメリカを衰退させてしまったのだ」と指摘しています。

たとえばアメリカのベル研究所はかつて人類最高峰の技術を持ち、ノーベル賞受賞者を何人も輩出しています。しかし、アメリカでは、一つの企業が独占してはならないとして、独占禁止法をベル研究所の母体であるＡＴ＆Ｔに厳しく適用して、強い企業をドンドン分割させて行ったのです。だから、アメリカの企業は弱体化したと説明しています。

田原　アメリカはいまもアマゾンやグーグルなどの「ＧＡＦＡ」も独占禁止法で規制していますよ。

遠藤　そのようにすれば、やがてＧＡＦＡも類似の危険にさらされてゆくでしょう。だからアメリカは、これまでの政策経過を教訓にしてＧＡＦＡ問題も考え直す必要があるのではないでしょうか。さもなければ中国のＢＡＴ（Baidu、Alibaba、Tencent）が５Ｇの優勢とともに、ビッグデータの世界を制覇していくことになります。

3

中国の量子暗号と宇宙開発&宇宙軍（文責：遠藤誉）

量子暗号通信衛星の打ち上げに成功

２０１６年8月16日午前1時40分、中国は世界で初めての量子通信衛星「墨子号《ぼくし》」の打ち上げに成功した。「長征2号」ロケットを使い、中国甘粛省のゴビ砂漠にある酒泉衛星発射センターから発射した。

量子通信衛星というのは、人類が解読できない「量子暗号」を搭載した人工衛星のことである。この研究を主導した中国科学院宇宙科学先導特別プロジェクトのリーダーを務めたのは、中国科学院量子信息（情報）・量子科学技術創新研究院院長で、中国科学技術大学の副学長でもある潘建偉氏だ。彼は中国共産党員ではなく、中国にある八大民主党派の内の一つ、「九三学社」の党員であることが興味深い。

１９７０年生まれの潘建偉は、１９９６年（26歳）でオーストリアに留学し、宇宙航空科学における最高権威の一人であるツァイリンガー教授に師事した。２００１年に中国に帰国し、以来、「量子暗号」の研究に没頭した。

「量子暗号」というのは「量子（quantum）」の「粒子性と波動性」（非局所性）を用いた「量子もつれ通信」のことで、「量子通信」は「衛星・地球面の量子鍵配送」や「地球面から衛星への電子テレポーテーション」などによって通信する手段だ。「鍵」を共有しない限り、絶対に第三者により情報を盗まれることはない。

中国は2017年、墨子号を通して、オーストリアと北京の間の量子通信に成功し、2018年にトップニュースの形でイギリスの学術誌『ネイチャー』に掲載され、アメリカの学術誌『サイエンス』にも掲載された（「量子暗号」や「量子通信」あるいは「鍵」などの詳細に関しては、拙著『「中国製造2025」の衝撃　習近平はいま何を目論んでいるか』の第4章で述べた）。

問題は、「暗号を制する者が世界を制する」と言われる中、現段階では人類の誰にも解読できない「量子暗号」生成に成功し、それを搭載した「量子通信衛星」を最初に打ち上げたのが、アメリカでもなければ日本でもなく、ほかならぬ中国だったということである。

5Gがどうのこうのと言っている場合ではない。

それを実現させた国が、一党支配体制によって言論弾圧を強行する国家であるという恐ろしい現実を、われわれは直視しなければならない。

アメリカでは政治と科学界は無関係なのか？

さらに衝撃的なのは、ここまで敵対し、ここまで対中強硬策を断行しているアメリカが、なんと、その中国の科学的功績をたたえ、この「墨子号」チームに2018年のニューカム・クリーブランド賞（Newcomb Cleveland Prize）を授与したということである。

ニューカム・クリーブランド賞というのは、1923年にアメリカの科学振興協会（AAAS／1848年設立）が創設したもので、中国大陸が受賞したのはこれが初めてのことだ。

同賞は前の年の6月から次の年の5月にかけて、『サイエンス』（出版元：アメリカの科学振興協会）に発表された研究論文の中から、学術価値と影響力の面で最も優れた論文を一つだけ選出し、年1回クリーブランド賞を授与する。

「中国が量子通信衛星打ち上げと量子暗号による地上との通信に成功したこと」は、「科学的に、客観的に、人類にとって非常に優れた業績である」とアメリカの科学界が判断したということになり、なお一層、悩ましい。

宇宙では中国がアメリカを超えるのか？

中国は2018年12月8日に月の裏側に軟着陸するための月面探査機「嫦娥《じょうが》4号」を打ち上げた。月の裏側には地球上から発信した信号が月自体に遮られて届かないので、中国は信号を中継するための中継通信衛星「鵲橋号《じゃっきょう》」を2018年5月に打ち上げている。これがないと月の裏側に軟着陸することはできない。アンテナの役割をする中継通信衛星は、月の周りの1点に固定していなければならないが、中国はピンポイント的に、力の作用がゼロになって動かないラグランジュ点に焦点を当てて打ち当てた。

月の裏側に行くことよりも、実は、このラグランジュ点にピンポイント的に衛星を打ち上げて「宇宙で固定しておくこと」のほうが遥かに困難だ。

そこで、アメリカの科学者が「ぜひとも、中継通信衛星・鵲橋号を使わせてほしい」と申し出てきた。「アメリカも月の裏側に着陸したいが、中継通信衛星を打ち当てることが困難なので、中国が利用し終わっても、どうか回収しないでアメリカに使わせてほしい」というのが、その科学者の申し出の内容だ。

「中国は喜んで承諾した」と、中国工程院の院士で中国月探査総設計師（リーダー）の呉偉仁氏が述べている。

これは、まずいではないか。

月裏面探査にしても、量子暗号や量子通信衛星にしても、宇宙領域で中国が一歩先を歩んでいる感が否めない。

中国が月を狙うのは、月にヘリウム3が豊富にあるからだ。地球上で運用している原子力発電（原発）は核分裂反応の際のエネルギーを利用しているが、これは果てしなく放射性廃棄物を排出し続け、処理し切れない汚染に地球全体が悩んでいる。しかしヘリウム3を用いれば汚染物質を全く出さない「核融合」という手段における「夢のエネルギー」を人類は手にすることができる。中国は実験室段階で成功している「核融合発電」を、なんとか実用化に持っていきたいと、長期にわたって戦略を練ってきた。地球上にはヘリウム3が少ししかなく、月にはほぼ無尽蔵にあるので、それを早くから狙ってきたのである。

ＡＩ（人工知能）に関しても、中国は２０１７年から巨大な国家戦略が動き始めているのに対して、トランプ大統領は２０１９年2月11日になって、ようやくＡＩの開発と規制を促進する大統領令「American AI Initiative」に署名した。

しかしビッグデータを持っているアメリカ側のＧＡＦＡ(Google、Apple、Facebook、Amazon)のうち、「Apple と Facebook」は習近平に抱き込まれている（１１７ページの図表３－３「清華大学経済管理学院顧問委員会リスト参照」）。アメリカは出足が一歩、遅い。

もうすでに、習近平が指名したＡＩ特化5大企業ＢＡＴＩＳ（Baidu、Alibaba、Tencent、Iflytek、Sense Time）とＧＡＦＡとは対立軸を形成し得ないのである。

こんなことでいいのか。

いま中国を抑え込まなければ、すべてが手遅れになって、中国が既成事実を作ってしまい、言論弾圧を強化する一党支配の共産主義国家が人類を制覇してしまうことになる。

アメリカも宇宙軍創設

２０１９年12月20日、トランプはアメリカ議会で可決された２０２０会計年度の「国防権限法案」に署名し、法律が成立した。これによりアメリカは「宇宙軍」を創設し、一部の空軍基地を「宇宙基地」として使用することとなった。早くから宇宙空間の軍事利用を進める中国やロシアに対抗するためで、予算総額は前年度より２００億ドル余り多い、およそ７３８０億ドル（80兆円余り）となっている。

中国では２０１４年４月14日、習近平が中央軍事委員会主席として空軍機関へ行き、空軍建設と軍事闘争の準備状況に関する視察を行なった際に「天空を一体化する軍隊を立ち上げ、攻撃と防御を兼ね備えた強大な人民空軍を建設していくことを加速させねばならない。そうしてこそ、〝中国の夢〟と〝強軍の夢〟を実現させるために堅固な力を掌握することができるのだ」と強調した。

中国では「天＝宇宙」を意味するので「天空一体化」とは空軍と宇宙軍を一体化させて、宇宙軍を創設せよと言ったに等しい。習近平はさらに以下のようなことを述べている。

――空軍は戦略的な軍種で、国家安全と軍事戦略の全局面において最も迅速に反応するという役割を担っている。空軍は空と宇宙を迫撃する際の勇士である。実戦に備えて日々訓練を怠ってはならない。そして改革創新を強化しなければならない。

この「改革創新」は、２０１５年12月31日の軍事大改革において具現化された。そして「ロケット軍」創設と同時に、実質的に「宇宙軍」創設の実施に入ったのである。これは「宇宙を軍事対象とした」ことを意味することに注目しなければならない。

軍事大改革のもう一つの特徴は、「戦略支援部隊」を新設したことだ。「戦略支援部隊」は「陸・海・空・ロケット」軍すべてを支援する部隊で、「航天系統（宇宙システム）部（分隊）」（航天工程大学を管轄）と「サイバー空間情報（実際は諜報）部（分隊）」（信息工程大学を管轄）の二つに分かれている。前者は軍事衛星の運用や宇宙監視を行ない、後者は敵情偵察などのサイバー空間を担う。

こういった中国の動きを警戒したトランプは、大統領就任後、早くから「宇宙軍」の創設に言及していたが、日本のメディアはやや嘲笑気味で、中国の宇宙開発における実態に目を向けるものは少なかった。

このたびのアメリカの宇宙軍創設により、人工衛星の防衛や運用のほか、弾道ミサイルの警戒など、宇宙空間を「新たな戦闘領域」として活動を強化する方針だ。アメリカ軍は、GPSによる巡航ミサイルの誘導や地球規模の部隊間の通信など、多くの活動を衛星網に依存しているが、中国やロシアが人工衛星を狙えるミサイルなどの開発を進めていると危機感を強めているからである。

中国のCCTVは、アメリカの宇宙軍創設に関して、ロシアやフランス、インドなどの言い分を引用しながら、「宇宙での軍拡が始まった」と、アメリカを批判するトーンでがなり立てるように報道している。明らかに対抗意識がにじんでいる。

その一方で、トランプが高関税を緩和したことにより、中国では宇宙開発に必要な半導体などのコア製品の輸入が容易になったと、誇らしげなのである。

ちなみに、日本の上空に浮かんでいる測位衛星の数などを考えると空恐ろしい。中国の北斗シリーズが最多だ。アメリカのＧＰＳは31機だが、中国の北斗シリーズは２０１９年12月データで、現在運用中が35機、これまで53機打ち上げて３機失敗。他は試運転中である。衛星はクルクル回っているので、この瞬間に空を見上げた場合、おおよそだがアメリカのＧＰＳが「２～７」機、中国の北斗が「15～22」機ほど浮かんでいるという感じになる。

もし宇宙戦争などが起きた場合に、この測位衛星システムを壊せば、地上のほとんどすべての社会インフラが崩壊する。その「競争」を米中が行っている。この「競争」は即ち「ハイテク覇権戦争」なのである。この中国を日本は「国家として応援しましょう」と宣言していることになる。

なお、宇宙に浮かんでいるアメリカを中心とした西側諸国が運営する国際宇宙ステーションの寿命は２０２４年とされているが、そのチームに参加することをアメリカに拒否され続けてきた中国は、独自に有人宇宙ステーション「天宮」を稼働すべく長年にわたって打ち上げを繰り返してきた。２０２２年には稼働し始める予定だ（詳細は『「中国製造２０２５」の衝撃』）。

地球上における「一帯一路」沿線国のうち、自力で衛星を打ち上げるだけの十分な経済力と技術力を持っていない発展途上国35ヵ国に対して、中国は既にその国に代わって人工衛星を打ち上げてあげており、他のすべての中国が主導するグローバル経済圏の国々に対しても中国が新たに稼働させることになっている宇宙ステーションに「いらっしゃい」と呼び掛けている。

アメリカに成り代わって宇宙を支配する中国の戦略は既に着々と進んで実効支配を始めているのだ。地球上で地理的に「お隣の国」などという概念はもう存在しない。

日本の「国家としての対中支援」は、アメリカに対抗して発展させ続けてきた中国の宇宙開発を一歩大きく前進させるのに役立つ。

このような中、「日中関係は正常な軌道に戻った」として習近平を国賓として招聘することが、どれだけ危うい将来を日本にもたらすか、安倍政権は熟考し、踏みとどまるべきであろう。

4 なぜ若者は中国へ戻るのか

国家的な「人材獲得」

田原　さきほどお話に出てきたファーウェイはもちろんのこと、「ＧＡＦＡ」にもずいぶん中国人、あるいは中国系の従業員が多いと聞きます。

遠藤　あれはもう、90年代末からのことですが、シリコンバレーでＩＣと言ったら、本来の意味の半導体の集積回路（Integrated Circuit）を指すよりもよりも「Indian Chinese」の頭文字になぞらえるほど、インド人と中国人ばかりになっています。その時期の調査で、白人はもう３割ほどになっていました。

田原　遠藤さんがお調べになって明らかになったことですが、そういった優秀な中国人留学生は米国企業でかなり上の地位になったとしても、みんな中国へ帰っちゃうそうですね。

先ほどの「中国製造２０２５」の中心となる科学技術や製造業の発展も推進している。

遠藤　私は90年代半ばに、中国政府の国家人事部に行って、トップの人たちにどのようにして人材を戻しているのか、どんなプログラムがあるのか、一つ一つ全部取材しました。四川、重慶、瀋陽、上海、浙江省、福建など、あらゆる現場にも行ってこの目で見てきました。

中国は1996年の第9次五か年計画から全世界で活躍する中国人元留学生（留学人員）と中央政府を結び付けて、「中国全球人材信息網（Global China Talents Network）」という巨大な人材ネットワークを形成しています（詳細は『中国がシリコンバレーとつながる時』）。

特にアメリカのシリコンバレーにいる中国人元博士たちで、大企業に就職したり、自ら起業したりして重要なコア技術を持っている者を呼び寄せて、中国各地に「留学人員創業パーク」を創っていました。政府は特別な税制優遇を設け、中国各地にイノベーションを起こす計画で動いてました。そのためのベンチャー・キャピタルもあって、資本をどこに投入するか、どのように成長させるか、きっちりでき上がっていたのです。

さらに胡錦濤政権時代には、2008年から「千人計画」、2012年からは「万人計画」を立ち上げて、外国人を含めた世界トップの人材のヘッドハンティングも始めました。この計画は次代の研究者を養成するために、大学や研究所に世界のトップ頭脳を教師として派遣するのが目的でした。

田原　中国の才能ある若者がアメリカに留学して、デモクラシー、自由の良さを身につけている。ところがみんな中国に帰ってくる。それはなぜですか？　祖国への愛などと言った建前ではなく、本音の部分をお聞きしたい。

遠藤　一つはビジネスチャンスがあるからです。

田原　アメリカにだってビジネスチャンスがあるじゃないですか。

遠藤　アメリカの発展はもう飽和状態です。これ以上大きな発展はない。ところが中国は今から伸びるポテンシャルがある。１９６６年から76年まで文化大革命があって、すべての高等教育機関は閉鎖されていましたね。ようやく文革が終わり、78年から改革開放が始まりますが、鄧小平は待ちきれなくて、77年から大学入学統一試験を開始します。海外に留学していいようになったのは国費留学生が１９８１年から、私費留学生が83年からです。

学問に飢えていた若者たちは、堰を切ったように海外に飛び出しました。日本に留学した人たちは博士の学位を取った後に日本企業に就職したけど、保守的な社風と年功序列が耐えられなかった。そこからアメリカに飛んでいく博士たちが増えていきます。

田原　在米の中国人博士たちの中には、一度日本に留学している人たちもいるんですね。

遠藤　そうです。最初からアメリカに行った人もいますが、みんな貧乏だったから、まず旅費が安い日本に来た。しかしＴＯＥＦＬなどで高得点を取って最初から奨学金をもらってアメリカに留学する人もいました。何れにしても、アメリカで博士の学位を取得して大企業に就職したり起業したりしますが、それが落ち着くのが、90年代末ですよ。

田原　ちょうど遠藤さんが調査を始めた時期ですね。

遠藤　はい、そうなんです。留学生たちが帰国しそうな潮流が始まったことに気づいて調査し始めたのです。この90年代末が、どういう時期だったかを考えてください。

留学生たちが出国した時期、中国は貧乏のどん底にあった。それに、またいつ、あの文革がやってくるかわからないので、海外でしばらく様子を見ていたのです。天安門事件があったので、「ああ、やっぱり母国には戻れない」と、多くの留学生たちは考えました。

でも、1992年10月に、天皇陛下訪中によって日本が西側諸国の対中経済封鎖を破りましたので、世界中の対中投資がいきなり増え始めました。中国が見る見る豊かになり始めた。留学生が帰国し始めたのは、ちょうどその時期とピッタリ一致します。

したがってビジネスチャンスがあるから帰国し始めたのです。

「中華民族の偉大な復興」がスローガン

田原　言論の自由があるとかそういうものよりも、経済的な価値の方に重きを置いたのですか。

遠藤　経済的価値もそうですが、やはり中国はまだ十分には発展していなかったので、そのポテンシャルの高さに魅力を感じたと思いますね。学問を志向した人は、当然のことながらチャレンジ精神を持っていて、まだ十分には発展していない領域が自分を必要としていると思うと、そこに魅力を感じますよね。文革があったために経済も研究開発も停滞していた分だけ、中国には「後発の利」というものが横たわっていた。むしろ「後発の利」に満ち満ちていたと言っても過言ではないでしょう。

迎え入れる中国政府側も、その辺のことを心得ていて、祖国の発展、イノベーションに関して、「あなたたちこそが宝です」「あなたたちの頭脳を、今この大地は待っているのです」と言われたら、心も動くでしょう。「あなたが戻ったら、中国がこれだけ発展する。発展の可能性がこんなに高くなるのだ」という魅力を注ぎ込む。

田原　ビジネスチャンスと誇りを刺激され、おまけに高給で迎えてくれるとなると、「自由とか民主とか」よりも、そちらに重きを置く。平均的な若者はそのように思っているのですか。

遠藤　若者と言っても、文革が終わったときには、もう30近くなっていましたから、中には40近い人もいましたので、帰国するころには、むしろ「人生の晩年」あるいは「人生の後半」に入っています。

もちろんアメリカに行って、一党独裁に反対する人は相当数います。アメリカに残って反共反中の大きな勢力を作っている。戻ると逮捕されるのでこの人たちは絶対、戻りません。いまアメリカでは、こういう人たちを厚遇している。バノンとも仲が良いです。

田原　中国は「中国製造２０２５」という国家戦略により、イノベーションによって近い将来世界一の国家になるという将来像をはっきりと示した。そしてそれに呼応し、実現する人材をたくさん育ててきたわけですが、本来イノベーションを推進するなら、自由に議論したりときには批判したりする環境が必要ではないのですか。

遠藤　その通りで、「中国製造２０２５」で国民に青写真を示し、「中華民族の偉大な復興」を政権スローガンにして、「あなたたちはリッチになりたいでしょう。誇らしい中華民族になりたいでしょう。私（中国共産党）についてきたらそれをかなえてあげます」と言っています。

中国に帰国した留学人員は政治を語りません。政治を語る人は帰国しない。帰国した人たちは「未知の領域の研究開発」と「ビジネス」が好きなのです。そして中国政府も、その限りにおいては「自由」を与えます。だから改革開放以来の累計で313万人にも及ぶ留学人員が帰国していますが、そのうち習近平政権になってから帰国した留学人員は231万人（約73％）にも上ります。いかに「中国製造2025」というハイテク国家戦略が功を奏しているかが窺える数値です。

もう一つ付け加えるなら、習近平が中共中央総書記になったのが2012年、国家主席になったのが13年。一方、中国のGDPが日本を追い抜いて世界二位になったのが2010年ですね。そのときに中国の躍進を確信したのです。だから帰国した。

これこそは1992年の天皇陸下訪中がもたらしたものです。

今、それよりももっと大きなスケールの中国の躍進を可能ならしめようとしているのが、習近平の国賓招聘です。中国がハイテク、特に宇宙を通して人類を支配していく道にさらなる大きな一歩を踏み出すことに安倍政権は手を差し伸べているのです。これが、どれほど恐ろしい将来を日本に、そして全人類にもたらすか考えて下さい。思考を停止させず、ここで踏みとどまるべきです。

5

なぜ共産主義でも中国は成長したのか

中国のＧＤＰは四半世紀で28倍に

田原　次に中国がこれまでなぜ、大きな発展を遂げることが出来たのか。中国の爆発的なエネルギーはどこから来てその原点、推進力はなんだったのか、その根底に迫ってみたいですね。世界の経済規模は１９９０年には23兆ドルだったものが、これが四半世紀後の２０１５年には73兆ドルになった。つまり3倍になっている。

この間、中国のＧＤＰ（国内総生産）はなんと28倍になっています。それから中国の貿易額ですが、輸入額が１９８０年から２０１５年に84倍。輸出額が１２４倍という驚異的な伸びを示しました。

天安門事件やドイツの東西のカベが壊れ、日本では平成が始まる直前の１９８８年、日本のＧＤＰが世界経済の16％を占めていました。アメリカは28％。中国は2％にすぎませんでした。それが２０１０年には日本を抜いて世界2位の経済規模になり、２０１８年には世界の16％を占めています。アメリカは依然24％を占めていますが、日本は6％にとどまっています。中国のデータは驚異的な数字です。

イギリスの金融大手の調査では2030年にも中国はアメリカのGDPを抜き去るとの報告があります。最近の中国が発表した「新時代の中国と世界」白書では「天地を覆すほどの変化で人類史上にない奇跡の発展を遂げた」とも頌っています。

遠藤　それも全て、1992年の天皇陛下訪中がもたらしたものです。それよりももっと激しいことが、今後、ハイテク界において起きます。

共産主義はうまくいかないと直感した

田原　少し私の話をさせてもらうと、小学校5年の時の夏休みに玉音放送が入った。直前の1学期に教師たちは何を言ったか。

「この戦争は世界の侵略国であるアメリカとイギリスを打ち破る。フランス、オランダがアジアの国を植民地にしている。アジアの国を独立させるのがこの戦争である。早く君らも訓練をして、戦争に参加して、名誉の戦死をしろ」と教えられた。

ところが2学期になって、マッカーサー元帥たちアメリカ占領軍が入って来た。教師たちの言うことは180度変わった。「実はあの戦争はやってはならない間違った戦争であった。正しいのはアメリカだ。君らは平和のためにがんばれ」。

これが僕の原点です。えらい大人の言うことは一切、信用できない。政府は国民を裏切る。そして思想的に右も左もない。だから自分の目で確かめ、知ろうと、ジャーナリストになった。

その私が１９６５年、東京12チャンネル（現・テレビ東京）に勤務しているとき、初めて海外に行きました。世界ドキュメンタリー会議という会合が、モスクワで開かれました。旧ソ連の時代です。あの当時、私がなぜ選ばれたのか未だに分かりません。

当時、朝日新聞から産経新聞まで、ソ連は素晴らしい国だと言っていたし、僕も素晴らしい国だと思っていた。将来世界は社会主義になる。それが日本の論壇の主な潮流だった。ところがその1年前、フルシチョフがスターリンを批判して失脚しました。

そこで会議主催者にモスクワ大学の学生とディスカッションしたいと言ったら、ＯＫが出た。モスクワ大学で15人ばかりの学生とディスカッションをした。キューバ危機の話題のあと、フルシチョフのことを聞いた。当然、「素晴らしい」という答えを期待していたら、皆、真っ青になって、唇がぶるぶる震えている。主催者側からも発言を差し止められたのです。

これには本当にビックリしました。言論の自由が全くない。そして、共産主義は競争を認めない。平等が建前ですから。競争の自由がないのです。

遠藤　共産主義だから競争がないというのは正確ではないですね。まだ計画経済だったからでしょう。計画経済は競争がないのです。

田原　競争もサービスもないので工場、企業のやる気がなくなる。例えばトラックの製造会社がどうしているのかと言ったら、ノルマがある。ノルマってなんだと思ったら、年間にいかに多く鉄を消費・使うかです。小型のトラックを造ったら鉄をあまり多く使わないから、ノルマを達成できない。そこで大型トラックを作る。全部大型なのですよ。

当時、ソ連が世界で一番大きな共産主義の国で、その代表でしたが、言論の自由のない共産主義社会は絶対うまくいかない、とそのとき思いました。

なぜ中国は伸び続けているのか

田原　そう思っていたのに、共産主義の中国経済がバーッと伸びた。そして伸び続けている。何で伸びたのか。ここのところを遠藤さんからお聞きしたい。

遠藤　まず一つは、1978年から改革開放を始めたからです。

田原　改革開放を進めたのは鄧小平ですね。文革後の経済を立て直すため、外国からの外資や金融を受け入れる経済特別区を作ると同時に、農村増産改革のシンボルだった人民公社を解体して、市場経済への移行ですね。経済特区は今も大きく経済発展した広東省の深圳などが知られています。

遠藤　鄧小平が改革開放を始めて、それから天安門事件があって、1992年の初頭に「南巡講話」（注⑲）をします。そして天皇陛下が訪中する10月に合わせて党大会を開き、自由競争を認めた「市場経済」へ移行したわけです。それを「中国の特色ある社会主義国家」と名付けています。

田原　社会主義と市場経済は一見、矛盾していますよ。マルクスレーニン主義から反資本主義、階級闘争を掲げる毛沢東思想は絶対、認めてないですよね。なんで鄧小平が競争を認めたのですか。

遠藤　天安門事件で西側諸国による対中経済封鎖を受けていた。このままでは中国共産党による一党支配体制は崩壊するぞと、中国は覚悟を決めていた。恐怖におののいていたと言っていいでしょう。おまけに１９９１年12月に旧ソ連が崩壊したのですから。ソ連はそれまでは世界に君臨する一番大きな共産主義国家でしたが、あのソ連が崩壊した。鄧小平は「このままだと中国も崩壊すると」思ったのです。

旧ソ連崩壊の1か月後、92年の1月、鄧小平は中国大陸の南に行って、「南巡講話」を行います。汚い表現ですが、彼の言葉なのであえてご紹介しますと、「改革開放は纏足《てんそく》の女のようにヨチヨチ歩きではダメだ」とハッパをかけたのです。

鄧小平は「客家」です。客家には纏足の習慣がないので、かなりの侮蔑語と言っていいでしょう。

（注⑲）【南巡講話】鄧小平が１９９２年１月～２月にかけて武漢、深圳、珠海、上海などを視察し、重要な声明を発表した。天安門事件で改革開放政策に急ブレーキがかかったが、この視察で鄧小平は「市場経済にも計画があり、社会経済にも市場がある」と改革開放路線の重要性を訴えた。

日本は中国の戦略に嵌《はま》ったのか？

遠藤 これと時期を合わせた1992年4月、まだ国家主席には就任していなくて、中共中央総書記でしかなかった江沢民が田中角栄への入院見舞いを口実に訪日して、天皇陛下の訪日を依頼しに来るのです。

というのは、この年の10月に開催される党大会で、「市場経済」を導入することを鄧小平は決めていたからです。そのためには外資の呼び込みが必要です。中国は非常に計画的に、そして戦略的に天皇陛下訪中を狙っていました。

田原 天安門事件直後の1989年6月21日に、日本政府は第3次円借款の見合わせを通告しています。しかし当時の日本の宇野首相は7月に開催された先進国首脳会議（アルシュ・サミット）前に、対中制裁反対派および慎重派中曽根康弘さんや鈴木善幸さんらと相談して、サミットでは「中国を孤立させるべきではない」と主張します。

遠藤 田原さんお得意の「中国を孤立させるべきではない」ですね。

田原 江沢民は、1990年5月に宇野元総理が訪中した際に、このことへの感謝を述べています。もっとも円借款自体は１９９１年８月に宇野の後任である海部首相の訪中によって再開されています。

遠藤　諸悪の根源はそこに満載されています。それでも中国には天安門事件のイメージを国際社会から払拭する必要があったので、江沢民は天皇陛下訪中という、次の一手に出るのです。その時期も、92年10月の党大会開催前に決定していなければならない。なぜなら、党大会で「市場経済導入」を正式に宣言するからです。

天皇陛下訪中が日本で正式に閣議決定されたのは１９９２年８月25日、訪問日程に関する内閣官房長官発言があったのは同年10月２日、そして第14回党大会が開催されたのは、なんと同年10月12日から18日まででした。

この見事なまでの戦略性に、日本はまんまと嵌ったのです。天皇陛下は政治利用され、今日の中国の繁栄を招くことに直結していくのです。

それでもなお、いま安倍内閣は、習近平を国賓として招こうとしている。それが実現すれば、必ず返礼として天皇陛下の訪中を余儀なくされるのです。

なぜ国賓にしなければならないのか、安倍さんはその必然性を説明していません。田原さんは、その必然性を、どのように考えるのですか？　教えてください。

天皇陛下を訪中に追い込むために、習近平を国賓として招くなどということは、絶対にあってはならないことです。日本は何度同じ過ちを繰り返せば気が済むのでしょうか。

第6章

習近平国賓招聘問題を斬る!

1

習近平は毛沢東を超えるのか

習近平の基本は反日

田原　習近平の来日に関しては、すでに安倍首相や政府関係者が「桜の咲くころに来日する。国賓待遇である」と明らかにしています。遠藤さんは習近平が国賓として来日することに強力に反対していますが、今になって反対しても、国益にかないません。

遠藤　私は早くから反対しています。ただ、私ごときが一人で反対しても、なかなか世論は動かなかった。しかし最近になって自民党議員の中にも反対の声を唱える人が出てきました。こうして田原さんと対談する機会にも恵まれましたので、これまでずっと主張してきた反対論を、まるで賛成論の震源地であるような田原さんにぶつけているわけです。

田原　私は何度も言いましたように、習近平が国賓として来日することには賛成です。何が悪いと言いたい。その理由も述べてきました。そもそも、いま中国では対日感情がよくなっている。そのチャンスを逃すのは良くないでしょう。

遠藤　そこからして、そもそも大きな勘違いだと思います。

中国共産党にとって、思想統制や世論誘導こそは最大の武器なのです。中国共産党という党が誕生した１９２１年のとき、中国の政権を握っていたのは国民党でした。中華民国という国家でしたね。中国共産党は野党にさえなれなかった。国民党を率いる蔣介石は中国共産党を野党として認めることはしませんでした。したがって中国共産党にはお金がなかった。だから毛沢東は「言葉」によって人心を引き寄せることに力を注いだのです。以来、「プロパガンダ」こそが権力を握る最も強烈な武器になりました。いま習近平は日本を必要とするので、その方向に世論誘導をしているのです。そのようなことは中国共産党にとっては朝飯前です。私は何十年にもわたって、毎日ＣＣＴＶを観察してきていますので、世論誘導の方向が分かります。

田原　私はそうは思わないなぁ。

遠藤　そうですか。しかし例えば、自国のメディアを客観的で公平だと思う人が、日本ではわずか10％であるのに対して、中国では80％にも上るというデータがありますが、これは中国政府が望む方向性が世論に反映されやすいことを表しています。おまけに、中共中央の宣伝機関としてのＣＣＴＶは、全部で47チャンネルもあり、地方のテレビ局も含めると中国全体では１０００以上のテレビ局があり、それが中共中央の命令一つで動きます。

最近では若者はテレビを観ないので、すべてがネット配信できるような仕組みにしてあり、若者はスマホで「雰囲気」を感知しています。

田原　そういう仕組みになっているんですか。

遠藤　はい、そうです。そもそも、習近平政権になってから、何が起きたかを申しましょう。

習近平が国家主席に就任したのは２０１３年３月ですが、２０１４年になると、立て続けに反日的な国家記念日を制定しています。いずれも全人代常務委員会が２０１４年２月27日に採択しました。

●9月3日「中国人民抗日戦争勝利記念日」

日中戦争において中国（中華民国）が勝利した記念日。日本は8月15日に降伏宣言をしているが、日本政府が中華民国に対して降伏文書に調印したのは１９４５年9月２日で、当時の蔣介石率いる国民党政権は翌日の9月３日に全国的に祝賀行事を挙行した。そのため中国では「9月３日」を抗日戦争勝利記念日としている。もっとも、この日に関しては１９９９年に江沢民が発布した「全国年節および記念日休日弁法」の中で「九三抗戦勝利記念日」と定めている（但し休日ではない）。それを改めて正式な「国家記念日」と定めた。

●12月13日「国家哀悼日」

中国で言う、いわゆる「南京大虐殺」の日。１９３７年12月13日に旧日本軍が南京を占領した日で、中国側では「約40日にわたる大虐殺が始まった日で、30万人以上の中国人が殺された」と主張している。この人数は江沢民の一声で決まった。

〝中華人民共和国〟は日本と戦っていない

田原　日本が侵略戦争を行ったわけだし、戦勝記念日はどこの国にもあるものです。

遠藤　前にも申しあげましたが（49ページ）、ではなぜ、毛沢東時代では「抗日戦争勝利記念日」も「南京大虐殺」に関する記念日もなかったのでしょうか？

田原　改めて教えてください。

遠藤　日中戦争時代、日本と戦った国家は中華民国であり、それを祝賀するということは、最大の政敵であった国民党の蔣介石を讃えることにつながるからです。ただ、ソ連のスターリンに対しては第二次世界大戦勝利記念日として祝賀の電報を送らなければならないので、蔣介石が決めた記念日を踏襲して、９月３日に祝電を送っています。「中華人民共和国」は１９４９年10月に誕生したのですから、日本と戦った国家は「中華人民共和国」ではないということを、毛沢東は正確に認識していました。

田原　ほう。そうなんですか？　でも「南京大虐殺」には、哀悼の意を表しているでしょう？

遠藤　いいえ、一度もありません。なぜなら、この事件も蔣介石側がやられた話であり、毛沢東はこの事件を知って大喜び。日本軍は最大の政敵にダメージを与えてくれたのですから、日本軍に感謝するという構図です。祝杯を上げたとさえ言われています。それが真実です。

田原　そうですか。

遠藤　はい。毛沢東の近くにいて、意見が合わず逃げ延びた人が、のちに語っています。蒋介石は重慶に国都を移して、これを克服し結局は勝利した結果になるので、「南京」に関しても言及するのさえ許さなかった。これは年配の中国人なら誰でも知っていることです。毛沢東の生涯を、毎日記録した『毛沢東年譜』という、全部で9巻、約7000ページに及ぶ、中国共産党側が出した本があるのですが、そこにも「南京大虐殺」に関しては、1937年12月13日のところに「南京陥落」という四つの文字があるだけで、死ぬまでただの一度も、この事件に関して提起したことがない。それどころか、「南京大虐殺」を研究することも、それに言及することも許さなかった。そういう人は知らないうちに消えていたりしましたので、この研究が盛んになったのは1980年代に入ってからでした。

田原　そうだったのですね。

遠藤　少なからぬ知識人、特に田原さんのような年代の方は、ソ連や中国などの社会主義国家は素晴らしいと思って、若いころに憧れを抱いて思想形成をしてきたという流れがあるでしょうから、にわかには信じられないかもしれませんね。

中国共産党が隠さねばならない真実

田原　しかし、今こんなに日本に友好的な習近平が、なぜそのような反日を強化するような行動を取ったのかが理解できませんが、では中国が反日になったのはいつからなんですか？

遠藤　江沢民政権になってからです。彼の父親は日中戦争時代の日本の傀儡《かいらい》政権であった、南京にあった汪兆銘政府の官吏でした。だから江沢民は若いころ日本軍が管轄する南京中央大学に通っていました。そのため彼は少しだけ日本語が話せ、ピアノもダンスも覚えたわけです。日中戦争時代にそのようなことができたのは、父親が日本側か国民党側の幹部でなければ、あり得ない話です。日本の敗色が濃くなると、彼は慌てて中国共産党側に寝返り、自分の出自を隠そうとさまざまな工夫をするのですが、天安門事件で突然、鄧小平に中国共産党中央総書記に任命されましたので、自分が「売国奴」の家系であることを覆い隠すために、極端な「反日行動」をとり始めるのです。

田原　だから愛国主義教育とか、反日教育を強化したということですか。

遠藤　はい、そうです。そもそも中国共産党が極端な言論統制をするのは、日中戦争時代、毛沢東が日本軍と結託していたからで、中国共産党は、どんなことがあっても、その事実だけは覆い隠したいんです。

田原　毛沢東が日本軍と結託していたと。

遠藤　第一章でも触れましたが、私は『毛沢東　日本軍と共謀した男』でその事実を詳細に考察しました。毛沢東の行動は理に適っており、毛沢東にとっての最大の敵は国民党の蔣介石ですね。その蔣介石が率いる「中華民国」と日本が戦争をしているということは、日本が蔣介石をやっつけてくれることに相当します。敵の敵は最大の味方です。毛沢東は上海の岩井公館（47ページ）を最大限に利用して、国共合作を通して入手した蔣介石の極秘軍事情報を、事細かに日本側に渡しました。ときには蔣介石は中国共産党軍と日本軍の挟み撃ちに遭いますので、蔣介石は「毛沢東は日本軍と通じ合っている」と直感し、そのことを毛筆で直筆した日記に記しています。その日記はスタンフォード大学のフーバー研究所に行けば見ることができます。

習近平はなぜ反日を強化したのか

田原　では、中国政権の言論弾圧は、日中戦争時代、中国共産党が日本軍と通じ合っていたという秘密を隠すために行っているということになるんですか?

遠藤　主たる原因は、そのためです。毛沢東などは中華人民共和国が誕生すると、徐々に、秘密を知っていた党員、あるいはそのために実際に献身的にスパイ活動に携わった党員を、次から次へと逮捕して投獄するか、あるいは消しています。投獄された者はもちろん死ぬまで釈放されることはありませんでした。

ちょっとここで目を転じて、毛沢東が日本軍と共謀していた時期を見てみますと、延安時代

反党分子として市中を引き回される習仲勛

です。長征の末に行き場を無くした毛沢東を助けたのは、早くから中国共産党西北局を束ねていた習仲勛。習近平のお父さんです。

田原　香港の司法問題でも習近平の父親が出てきますが、また、何かここでも関係してくるんですか？

遠藤　はい、ストレートに関係してきます。習仲勛は大物でしたし、延安時代における毛沢東の裏側も知っている。しかし毛沢東を助けた人物ですので、あまり邪険にはできない。そこで裏から手をまわして反党精神を持っているとして陥《おとしい》れ、当時は国務院副総理（副首相）まで上り詰めていた習仲勛を、１９６２年に「西北反党分子」として糾弾し、すべての職を剥奪します。これが１９６６年の文化大革命の狼煙《のろし》でもあったのですが、文革中も投獄されたり軟禁されたりして、習仲勛は16

年間にわたり多くの迫害を受けています。
実は、毛沢東が死んで（１９７６年９月）、文革中に投獄されていた多くの人たちが釈放されて名誉回復したというのに、習仲勛だけはいつまでも出獄を許されませんでした。彼は１９６６年から始まった文革の犠牲者ではなく、文革が始まる前に毛沢東が特別に罰した「反党分子」に相当するので、「党の原則」に逆らうことにもなり、またあまりに毛沢東の全面否定につながるとして、躊躇したんですね。

父・習仲勛が反面教師となって

田原　あの絶対的権限を持っている習近平の父親が、そんな目に遭っていたんですか。

遠藤　はい。そこで習仲勛の奥さん、つまり習近平のお母さんは、当時の中共中央組織部の部長だった胡耀邦《こようほう》に頼んで習仲勛の釈放と名誉回復を頼むのです。胡耀邦は必死になって走り回り、鄧小平を説得して習仲勛を釈放し名誉回復を成し遂げます。

田原　習仲勛の父親は、あの胡耀邦に助けられたのですか？　天安門事件のきっかけになった、あの胡耀邦？

遠藤　はい、その胡耀邦です。

田原　１９８９年4月15日、中国共産党の改革派指導者とされてきた胡耀邦元総書記が突然、亡くなったのをきっかけに、追悼のために北京市の天安門広場に北京大や清華大学の学生らが集まりました。当初は自発的な追悼デモでしたが、その後、民主化を求める大規模なデモに発展しました。最高実力者で、中央軍事委員会主席で、軍の実権を握っていた鄧小平ら指導部はデモを「動乱」とみなして軍を動員して、6月4日、人民解放軍が発砲し、力で制圧しました。

遠藤　なぜ若者が胡耀邦の死を悼《いた》んだかというと、胡耀邦は若者の声に耳を傾ける開明派だったからです。

実は、胡耀邦が保守派から締め上げられ辞任を迫られたときに、胡耀邦側に立って反論したのは、唯一、習仲勛でした。習仲勛は胡耀邦が中共中央主席（１９８１年6月29日～１９８２年9月）という特殊な地位にあったときと、その後の中共中央総書記のときも、中央書記処書記となって、胡耀邦を支えていました。でも胡耀邦は失脚し、会議中に心臓マヒを起こして命を落とします。若者たちは胡耀邦を「憤死させた」として追悼デモを始めたのが、天安門事件につながりました。

つまり、習仲勛は、今では罪人として葬られているところの、あの胡耀邦の友人であり、最後まで胡耀邦を守った人だったのです。

田原　そんな関係があったのですか。

遠藤　それだけではありません。天安門事件の真っ最中に、若者に同情して、若者の中に入っていき若者たちを説得した総書記がいましたね。

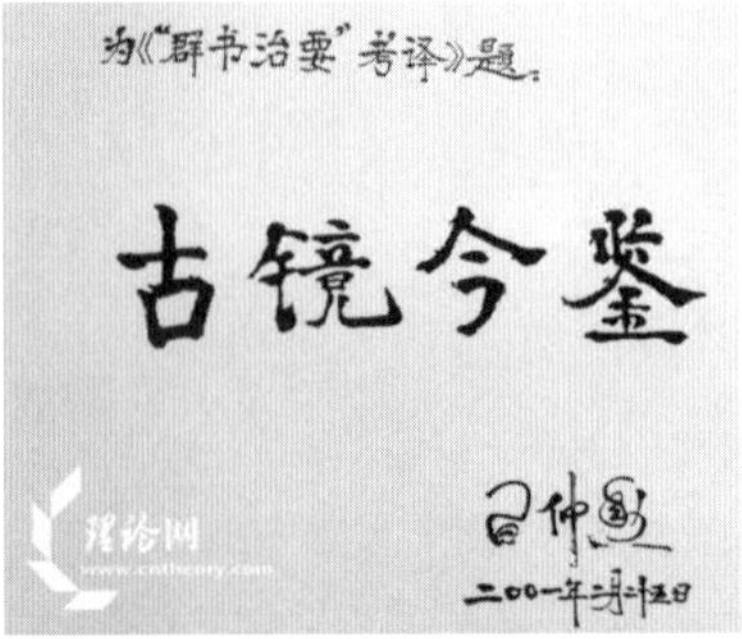

習仲勛が亡くなる１年前に書いたもの

田原　趙紫陽《ちょうしよう》ですね。胡耀邦の後に総書記になった趙紫陽。

遠藤　はい。習仲勛は、その趙紫陽と共に学生に同情した人間の一人でした。

田原　えっ？　そうなんですか？

遠藤　まだあります。胡耀邦が親日的だったことはご存じですよね。

田原　もちろん知っています。中曽根元総理は、その胡耀邦と仲が良く、胡耀邦が親日家として糾弾されることにつながるのなら、靖国参拝を辞めると言いました。

遠藤　ということは、習仲勛にも、やや親日の傾向があったことが窺《うかが》われます。実際、習仲勛は日本の皇室関係者経由で写本を手に入れた「群書治要」の研究を命じて、後に刊行される『群書治要考訳』の題字を揮毫《きごう》したというエピソードがあります。

表面だって親日的な行動はとっていませんが、父親が天安門事件前後で失脚した胡耀邦、趙紫陽との関りが深かったという意味では、習近平にとっては決定的なダメージなのです。ほとんどタブーですね。

田原　習近平は、それを埋め合わそうとしているということですか？

遠藤　そうです。江沢民と同じで、思いきり反日的になることによって、自分の父親が売国奴だったという歴史を拭い去ろうと江沢民はしましたね。

習近平は自分の父親が親日的な胡耀邦に忠実であったことや、天安門事件で若者に同情した趙紫陽と行動を共にしていたといったことなどから、それと正反対の政策を取ることによって、自分が誹謗されないように、ひたすら反日的な戦略や、民主を抑える戦略を取っています。

つまり、習近平の中核は「反日」にあるのです。彼が反日を捨てたら、政治生命は終わります。したがって、いま日本に微笑みかけているのは、アメリカの対中制裁が、習近平にとって、どれだけ痛いかの証なのです。

田原　そんな連鎖があったのですか。

遠藤　だから、どれだけ習近平がいま日本を必要としているかが、お分かりいただけたと思います。こんな危険を冒してまで日本に近づこうとしている。

この事実は逆の一面を示しています。すなわち、アメリカがどれだけ中国を追い詰めているかということの証しでもあるという側面です。その視点から見たときに、アメリカがようやくここまで中国を追い詰めたというのに、日本が手を差し伸べて、その中国を救ってあげるのでは、何にもならないということです。

ウイグルの人権弾圧に関しても、習仲勛との関連があります。同様のことが言えます。

2

ウイグル族弾圧と習近平のトラウマ

ウイグル問題に関しても父・習仲勛は寛容だった

田原　えっ？　ウイグルに関しても何か習近平の父親との関連があるのですか？

遠藤　はい、あります。実は習仲勛はウイグル族に対して、非常に寛容でした。

というのは、習仲勛の生まれた場所は陝西省で、延安があるところです。１９１３年に生まれた彼は、１９２８年、15歳の時に共産党に入党します。以来、陝西省《せんせいしょう》や甘粛省《かんしゅくしょう》など、中国の西北部で中国共産党西北局という革命根拠地を作って活動していたので、地図をご覧になると分かりますが、新疆ウイグル自治区に近いところで生活していました。ですから少数民族であるウイグル族に非常に融和的で、理解のある人でした。

田原　となると、習近平の政策とは真逆じゃないですか。

遠藤　習仲勛が真逆だったというよりは、父親がウイグル族に融和的だったので、習近平は、それ故に非難されるのを恐れて、ウイグルに対する人権弾圧を徹底的に強化しているということになります。因果関係が逆転しているのです。

１９４９年に中華人民共和国が誕生すると、それまで中国共産党中央西北局の書記だけでなく西北軍区の政治委員をしていた習仲勛は初めて北京に入り、中国共産党中央人民政府委員、人民革命軍事委員会委員などを務めるのですが、何よりも大きいのが西北軍区政治委員会の副主席兼主席代理を務めたことです。これにより今まで地方で管轄したよりもずっと上の職位に就いて、それまでの地区を管理することになります。このときに生まれたのが習近平。「北京（北平《ペイピン》）が近づいたときに生まれた子」という意味です。

田原　ああ、昔は北京のことを北平と言っていましたからね。

遠藤　はい、その通りです。だから「習近平」なのです。習仲勛が北京入りしてから、新疆ウイグル自治区には王震《おうしん》（１９０３年～１９９３年）といった、これも強者《つわもの》が書記として派遣されるのですが、王震は１９５２年に西北一帯の少数民族の反乱を武力鎮圧しようとします。中央で西北軍の命令指揮を執る習仲勛は激怒し、王震を糾弾します。

ところが、その後、ウイグルやチベットの暴動が激しくなり、結局習仲勛の融和策が間違いであるとして批判の対象になるのです。

田原　チベットやウイグルの暴動は、長くくり返されていますからね。中国にとっては頭痛の種でしょうな。

遠藤　ええ。チベットやウイグルといった広大な面積を有し、かつ宗教的にも信仰心の篤い少数民族を統治できるか否かは、中国の指導者に最も問われる手腕です。胡錦濤はチベットにおける暴動を武力弾圧したことで有名で、鄧小平に高く評価され、江沢民の後継者として指名されたほどです。

【遠藤注】　中国はいま100万人規模のウイグル人を「教育」を名目として収容所に監禁し激しい洗脳と人権弾圧を行っているが、なぜここまでウイグル人をターゲットにするのかに関しては宗教問題外に深刻な経済的戦略がある。

あまり昔までさかのぼるのは避けて、改革・開放後に話を限れば、ウイグル自治区では石油・天然ガスの開発が進み、1991年12月に旧ソ連が崩壊すると中国はいち早くウイグルと接する中央アジア五ヵ国を中国側に取り込んだ（一週間で全地域を回って提携を取り付けた）。石油・天然ガスのパイプラインはすべてウイグル自治区を経由するため、何としてもウイグル自治区の安定が欲しい。そのため胡錦濤政権時代ではウイグル自治区の漢民族化を加速させ、適齢期の女性はみな上海付近の大都市へと出稼ぎに行かせ、そこで漢民族など他民族と結婚させて「ウイグル民族の血」を絶滅させようと試みた。

習近平政権になってからはパイプラインの拠点である阿拉山口（ala－shan－kou）などを含む地域が「一帯一路」の経由地点になるため、さらなる治安が必要となった。

そこで洗脳を強化するため100万人から成る強健なウイグル男性を中心として収容所に監禁し、激しい虐待を通して反抗できないほどまでに感化しようとしているのである。習近平政権はテロ組織を撲滅するためだとしているが、事実、９・11事件以後、この地域の独立派組織の一つである「東トルキスタン・イスラム運動」が、アメリカによってテロ組織と認定された経緯もあり、中国に「テロ組織撲滅」の口実を与える皮肉な結果ともなっている。

父の負の遺産を払拭したい

田原　厳しく弾圧できる人間でないと、中国のトップリーダーにはなれないということですね。

遠藤　そうなんですよ。それなのに習近平の父親は融和策を取っていたわけですから、もし習近平が父親のやり方に従っていたとしたら、トップリーダーにはなれなかったということです。

しかし習近平には胡錦濤のように少数民族地域を統括した経験がない。そこで、トップリーダーに就任してからというもの、人権弾圧、言論弾圧を強化する結果となったのです。

田原　となると、父親は反面教師だったということになりましょうかね。

遠藤　反面教師。そうなりますね。

これは先ほどの胡耀邦や趙紫陽との関係と同じで、江沢民が反日強硬派になったのとも同じ理由です。

田原　そうなると、身近なところでは、韓国の朴槿恵《パククネ》の場合とも類似しているなぁ。父親が親日的だったので、自分も親日だと糾弾される可能性があるので、それを避けるために、ひたすら嫌日であるかのようなポーズを取りましたね、彼女も。で、アメリカに怒られて、最後には慰安婦合意に達した。

遠藤　そうですね。韓国の場合ですと、アメリカがいますから、アメリカがお灸をすえてくれる。だから朴槿恵の場合は何とかなりました。しかし中国はそういきません。

少なくとも、習近平のトラウマと、習近平の「香港問題、反日戦略、ウイグル問題」がすべて、一つに結びついただろうと思います。

すなわち、彼の父親が残した負の遺産を払拭するために取られていた戦略であったことを考えると、習近平のアキレス腱が見えてきます。

田原　習近平のアキレス腱、つまり弱点でしょうか。

遠藤　その通りなのです。トラウマからの脱却です。それでいて、習近平は自分の父親を心から愛し尊敬している。しかしその父親こそが彼を滅ぼす最大の災禍となり得るかもしれない。毛沢東は最大の民族の裏切り者であることを、いま習近平以上に知っている人、あるいは痛感している人はいないと思います。

だから習近平は「毛沢東を越えなければならない」のです。彼が強権のトップに立ち、その権力を、これでもか、これでもかと強化するのはそのためです。彼は自分の運命として、毛沢東を越えなければならないのです。

田原　私は習近平の「毛沢東への先祖返り」かと思っていましたが、そうではなかったのですね。

遠藤　習近平が越えなければならないのは、彼の父親が残した負の遺産であり、それは即ち、その血脈としての彼自身であると言えましょう。だから香港問題やウイグル問題で習近平を責めあげていくことは非常に有効な戦略となります。

田原　それにしても、なぜ習近平がそこまで反日ならば、安倍首相を国賓として招待しようとしたのですか。そして国賓として日本にやってくるのですか。

遠藤　それこそまさに、私がくり返し申しあげてきた中国の伝統的な「常套手段」です。アメリカとの仲が悪くなると、必ず日本に微笑みかけてくる。だから安倍さんがタイミングよく「私を国賓として中国に招聘して下さい」と二階さんに親書を持たせて習近平に懇願してきたわけですから、この機会を最大限に活かして、まずは「それなら一帯一路に協力せよ」と条件を付けてきた。なにしろ一帯一路はアメリカに対抗する最大の武器ですからね。

そして次に、アメリカから半導体の輸入規制などを受けているので、宇宙を含めたハイテク分野で何としてもアメリカに追いつき追い越したいと思っている中国は、日本の技術が欲しい。

さらに香港や台湾問題、あるいはウイグルなどの人権問題で世界的な非難を浴びているので、天皇陛下という特別の高貴な存在の方とお会いすれば、自分の「汚名」が雪《そそ》がれて、世界的名声として免罪符を手にすることができると考えているからです。

その習近平に、安倍さんが「なんとしても国賓として来日してほしい」と懇願しまくってきたのですから、習近平にとって国賓訪日を蹴る、いかなる理由も存在しません。

しかし本音は「反日」ですから、江沢民と同じように、日本を利用しきったら、自分にとって都合のいい時期に、また反日に戻します。江沢民は天皇陛下訪中の2年後に、愛国主義教育を開始し、反日教育に舵を切りました。

人権や言論の弾圧以外に、日本に限って言えば、尖閣問題や日本人拘束問題などもあります。

3

日中関係は少しも正常な軌道に戻っていない

いまこそ尖閣問題に切り込め

田原　尖閣に関しては、日本政府は民主党政権で国有化しています。胡錦濤に強く反対されたのに強引にやってしまった。だから、領有権問題に踏み込むのを避けています。

中国は鄧小平が日中平和友好条約批准書の交換で来日した際に「棚上げ」を主張しました。日本にしてみれば「固有の領土」だから、棚上げという考え方にも議論はありますが、ともかく領土問題論争は避けていますね。

遠藤　そうですね。でも私は避けてはいけないと思うのですね。中国側が日本に微笑みかけている今だからこそ、この尖閣問題に切り込まなければならない。どうしても習近平を日本に招聘したいのなら、「国賓待遇はやめること」は前提条件ですが、それでも招聘したければ、ですよ、まず「尖閣問題を解決してからにせよ」と、こちらが来日条件を習近平に突き付けるべきなのです。いま唯一のチャンスではないですか。

田原　私は何度も申し上げているように、国賓として招聘することには賛成ですが、しかし、たしかに習近平政権は周辺海域の公船航海など侵犯を繰り返している。それはもちろん問題ですよ。

遠藤　あら、いいことを仰るではないですか。その通りですよ。ようやく意見が一致しましたね。尖閣諸島は歴史的にも国際法上も日本の固有の領土でして、現に日本はこれを有効的に支配しています。

そもそも毛沢東は「尖閣諸島は沖縄に所属するもの」と、明確に宣言しています。ここに1953年1月8日付の、中国共産党機関紙「人民日報」の記事（図表6－1）がありますから、ご覧ください。

ここに書いてある文言をご紹介しましょう。沖縄県はまだ日本に返還されていなかったので、「琉球群島」とは現在の沖縄県のことを指しています。そこには次のような文章が載っています。

「琉球群島は、我が国・台湾東北と日本の九州西南の海面上に散在しており、尖閣諸島、先島諸島、大東諸島、沖縄諸島、大島諸島、吐噶喇《とから》諸島、大隅諸島等を含む島嶼《とうしょ》から成る」

とした上で、アメリカ帝国主義の占領に対して、琉球人民が抗議し闘争していることを紹介しています。そして「沖縄人民よ、頑張れ！」「アメリカ帝国主義に敗けるな！」とエールを送っているのです。

田原　ああ、当時は沖縄はまだ占領軍の支配下にあって、激しい闘争がありました。だから反

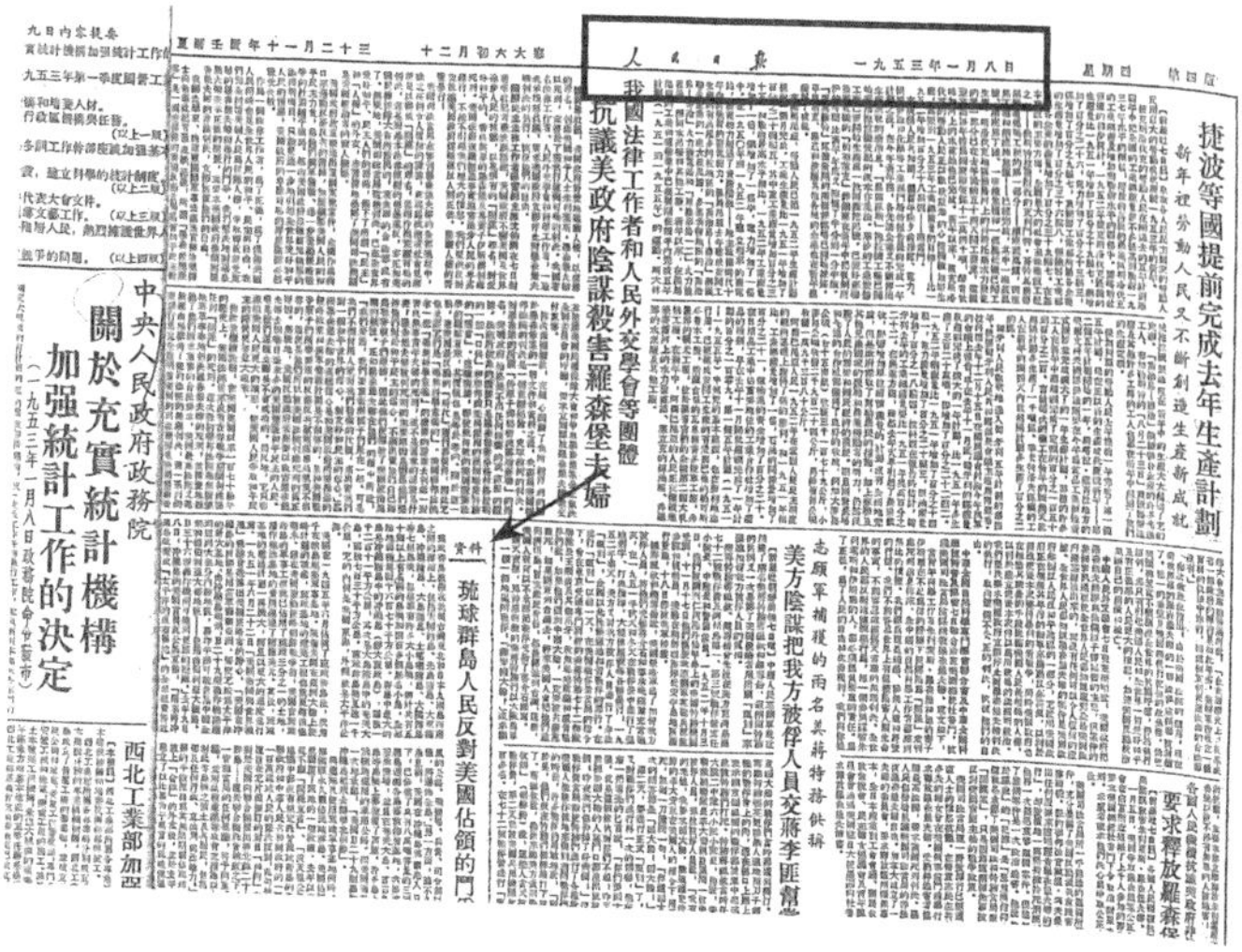
人民日報　一九五三年一月八日　星期四

捷波等國提前完成去年生產計劃

新年裡勞動人民又不斷創造生產新成就

我國法律工作者和人民外交學會等團體

抗議美政府陰謀殺害羅森堡夫婦

中央人民政府政務院

關於充實統計機構

加强統計工作的決定

（一九五三年一月八日政務院命令發布）

西北工業部加

美方陰謀把我方被俘人員交蔣李匪幫

志願軍補獲的兩名美蔣特務供稱

要求釋放羅森堡

資料

琉球群島人民反對美國佔領的鬥

資料

琉球群島人民反對美

琉球群島散佈在我國台灣東北和日本九洲島西南之間的海面上，包括尖閣諸島、先島諸島、大東諸島、沖繩諸島、大島諸島、土噶喇諸島、大隅諸島等七組島嶼，每組都有許多大小島嶼，總計共有五十個以上有名稱的島嶼和四百多個無名小島，全部陸地面積爲四千六百七十平方公里。群島中最大的島是沖繩諸島中的沖繩島（即大琉球島），面積一千二百十一平方公里，其次是大島諸島中的奄美大島，面積七百三十平方公里。琉球群島綿亙達一千公里，它的內側是我國東海，外側就是太平洋公海。

美國在一九四五年六月佔領了琉球群島後，就着……略計劃的破產，琉球基地的建築工程也就更趨積極起來。遠在美國發動侵略朝鮮戰爭前，美國在琉球

図表6-1

『人民日報』（1953年1月8日付）。上部に日付が、左中ほどに「琉球群島」の文字が見える。記事の冒頭部分（２行目）に、日本的呼称の「尖閣諸島」の文字を使い、「琉球群島」の領土として定義している。

出典：『チャイナ・ギャップ』（朝日新聞出版）より

米闘争の一環として、毛沢東は「米帝は日本を占領している。けしからん！」と言いたかったのですね。

遠藤　はい、私はまさにこの1953年の9月に日本に帰国してきましたが、そのとき小学校の先生が私に手向けた言葉は「日本に行ったら、日本人民と共に手を携えて、アメリカ帝国主義と闘いなさい」でした。それくらいアメリカを憎んでいた。なんと言っても、朝鮮戦争で中国人民志願軍などが約17万人も命を落とし、その中には毛沢東の息子も入っていましたから、その憎しみは尋常ではありませんでした。だから琉球、すなわち沖縄を応援したのです。

　理由が何であれ、当時の中国は尖閣諸島が沖縄県のものであること、すなわち日本のものであることを完全に認めていたのです。

尖閣諸島領有の主張の背景

田原　では、いつから「中国のもの」と言い始めたのですか？　そして、なぜ？

遠藤　これには少し長いスパンにおける背景があります。中国がまだ国連に加盟する前の1969年5月に、国連アジア極東経済委員会（ＥＣＡＦＥ）の報告書が、尖閣諸島がある東シナ海から黄海にかけて「石油天然ガスの海底資源が豊かに存在する」と指摘しましたね。

田原　ええ、よく覚えてます。エカフェの報告書です。

遠藤　日本が60年代初頭から海底資源の調査を始めていて、尖閣諸島の海底資源に最初に目をつけたのは那覇在住の大見謝《おおみじゃ》恒寿さんでした。「中国」の国連代表である「中華民国」も61年から調査に協力していました。

田原　そうです。米日韓台が協力しました。

遠藤　一方そのとき、62年に沖縄返還計画が発表されたことが、「中華民国」の「聯合報」に出ました。実は１９４３年11月のカイロ密談において、当時のアメリカのルーズベルト大統領は蒋介石とのみ秘密裏に２回も会って（11月23日と25日）、「日本をやっつけることに協力してくれたら、中華民国に琉球群島を差し上げるがどうだ？」と聞きました。すると蒋介石は断るのです。

田原　ほう。またなぜ？

遠藤　蒋介石は、「あそこは長いこと日本が占有していたので、日本敗戦後、ややこしいことになると大変だ」と思ったからです。なんと言っても日本が敗戦したら、その直後から中国共産党軍と戦わなければならないことは分かっていたでしょうから。蒋介石にとっては、そこからが本命ですからね。毛沢東との天下分け目の戦いが待っていた。その意味では、蒋介石にとっては、琉球など、どうでも良かったのです。

田原　なるほど。

遠藤　しかし、ルーズベルトに断ったことが外部に知られるとまずい。そこで、同伴した外務大臣に「絶対に口外するな」と強く命じるのですが、秘密会談の内容はすぐに広がってしまいました。

だから在米の「中華民国」からの留学生が蒋介石を糾弾する大規模な抗議デモを展開したのです。毛沢東率いる中国共産党軍には敗けるし、天然ガスの宝庫だった「琉球群島」を「要らない」と断ったしで、学生たちが全米をつないだ抗議デモを行いました。

堂々と「棚上げ」を破る中国

田原　そんなことがあったのですか。そのことは知りませんでした。

遠藤　だと思います。この話は一般にはあまり知られていません。私はサンフランシスコには通い詰めましたので、当時デモに参加した人を取材するチャンスにも恵まれて、詳細を知ることができました。

こうして、中華民国に代わって中華人民共和国が「中国」という国家の代表として国連に加盟する方向に動くわけです。

田原　キッシンジャーが後押ししました。

遠藤　はい、その通りですが、その前の1970年12月4日に、「人民日報」が意思表示しました。「台湾は中国（中華人民共和国）の領土なので、台湾に付属する釣魚島（尖閣諸島）などの島嶼はすべて中国のものである」と書いたわけです。この日が、「尖閣諸島（釣魚島）は中国のもの」という意思表示をした最初の日でした。その翌年の1971年10月25日に中華人民共和国が「中国」を代表する唯一の国家として国連に加盟し、「中華民国」は国連を脱退しますね。その後、中国は「中華民国」という国名を使用させず、「台湾」と称するようになります。

田原　その間に、キッシンジャーの忍者外交による訪中があります。1971年7月9日です。

遠藤　それも重要ですが、尖閣諸島に焦点を絞るならば、1971年12月25日はもっと重要です。国連に加盟した中国は、この日、国連海洋法委員会という国際舞台で、初めて「釣魚島は中国古来の領土」と主張するのです。

さらに決定的なのは1992年2月に全人代常務委員会は「領海法」を制定して、釣魚島を中国の領土と法律化してしまいます。領有権の「棚上げ」と言っておきながら、それを堂々と破った！

それなのに日本は、領海法に文句を言うこともなく、それどころかこの年の10月に天皇陛下の訪中を果たすのです。これは正に、「領海法を認めた」ことに等しく、今の安倍政権が置かれている立場と同じです。

だから私は、習近平を絶対に国賓として招聘してはならないと主張し続けているのです。

安倍首相は「日中関係は正常な軌道に戻った」と仰るが、少しも正常な軌道には戻っていません。

領海侵犯をし続ける国と仲良くできるのか？

田原　中国とは今後とも仲良くすべきであるというのが私の主張で、隣国との関係、アジアにおける友好・経済交流は重要です。これまでも、二階さんや政府与党幹部には「中国と仲良くすべきだ」ということは進言してきました。事実、日中は今、うまくいっている。

遠藤　そうでしょうか。244ページの図表6-2に外務省ホームページに載っているデータを掲載しました（海上保安庁のホームページにも転載）。タイトルは「尖閣諸島周辺海域における中国公船等の動向と我が国の対処」で、そこには「領海侵犯等の頻度」と「接続水域内における動向」が描いてあります。このような状況にある中国の横柄な行動、「棚上げ論」さえ無視した行動を見て見ぬ振りをして、「日中関係は正常の軌道に戻った」などということは許されません。

田原　どういうことですか。

遠藤　尖閣問題を中国が棚上げして手を引いているどころか、こんなにまで日本の領海を犯している。それを正常な状態とみなすのか、ということですよ。この状況下で習近平を国賓として日本に招くということは「日本は中国の領海侵犯を黙認し、肯定します」という意思表示を中国に対して行ったことになります。

２０１２年以降に激増しているのは民主党政権における国有化と関係がありますが、しかし２０１０年以降、中国のＧＤＰが日本を凌駕したことが、その背景にあります。その中国が今アメリカの制裁により困っているときに中国に手を差し伸べて中国を窮地から救う。

日本は同じ過ちを、何度くり返せば気が済むのでしょうか。

その過ちを唆《そその》かす人がいつもいる。また、中国はそれを巧みに駆使して国際世論形成に利用しているのです。鳩山元首相が中国で何を話したか、そして中国がそれをどのように利用しているかを検証しなければなりません。

日本は同じ過ちを繰り返すな！

田原　鳩山さんが何といったのですか。

遠藤　12月1日、中国広東省広州市にある従都という場所で開催された「従都国際フォーラム」に出席した鳩山さんは、アメリカの「香港人権民主法は中国への内政干渉であり越権だ」とか「アメリカによる覇権時代は必ず終わらせなければならない」などと主張したために、中国共産党機関紙「人民日報」傘下の「環球網」は12月2日、「アメリカという一つの国家による覇権時代は必ず終わらせなければならない！」という見出しで、鳩山さんの発言内容を報道していま

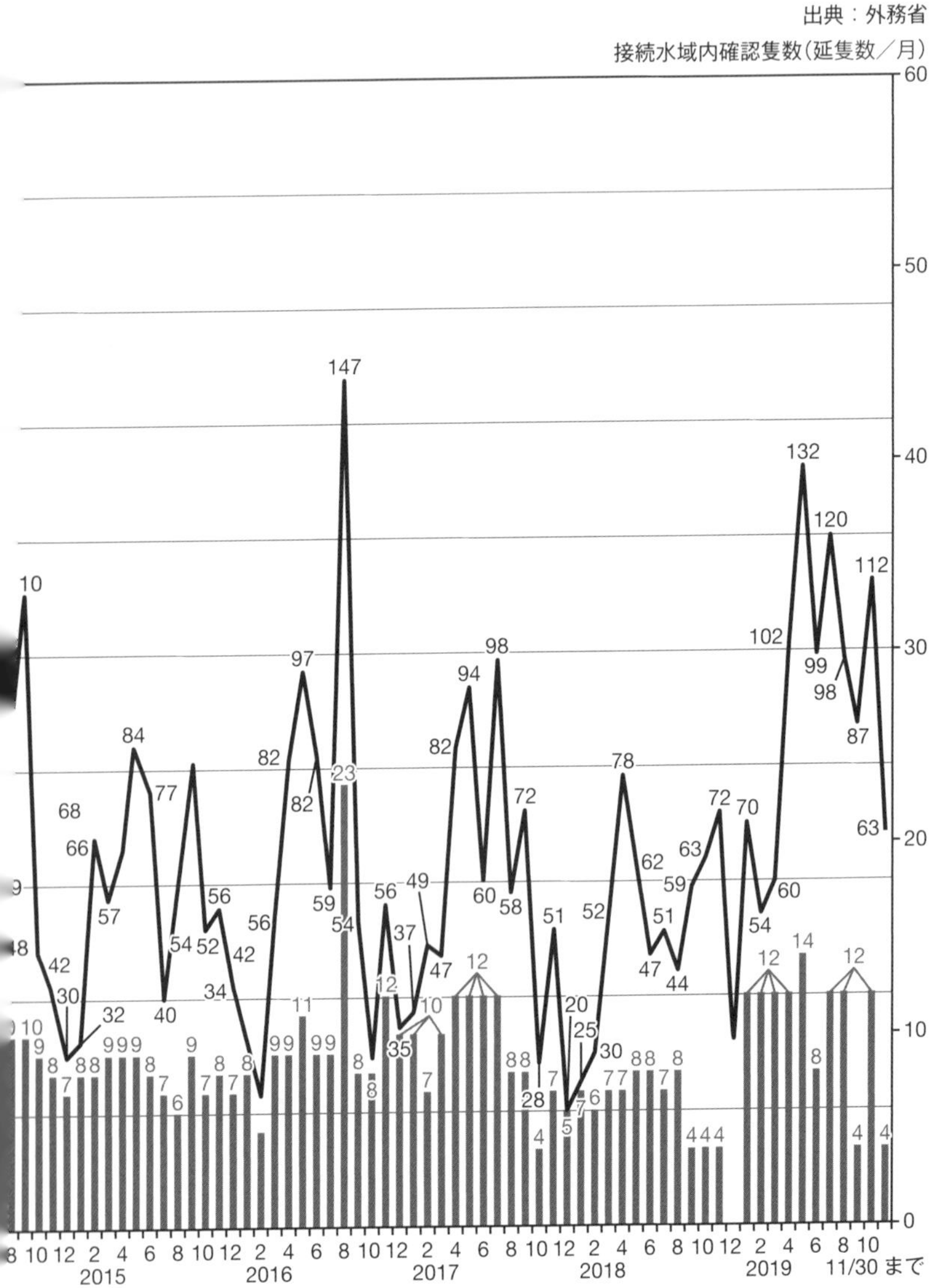
出典：外務省
接続水域内確認隻数（延隻数／月）
60
50
40
30
20
10
0
147
132
120
112
102
99
98
87
63
97
82
82
59
54
23
98
94
82
60
58
72
78
62
51
47
44
59
63
72
70
54
60
84
77
68
66
57
40
54
52
56
42
34
56
42
30
32
56
49
37
35
47
51
28
20
25
30
52
12
10
14
11
8 10 12 2 4 6 8 10 12 2 4 6 8 10 12 2 4 6 8 10 12 2 4 6 8 10 12 2 4 6 8 10
2015
2016
2017
2018
2019
11/30 まで

図表６-２　尖閣諸島周辺海域における中国公船等の動向と我が国の対処

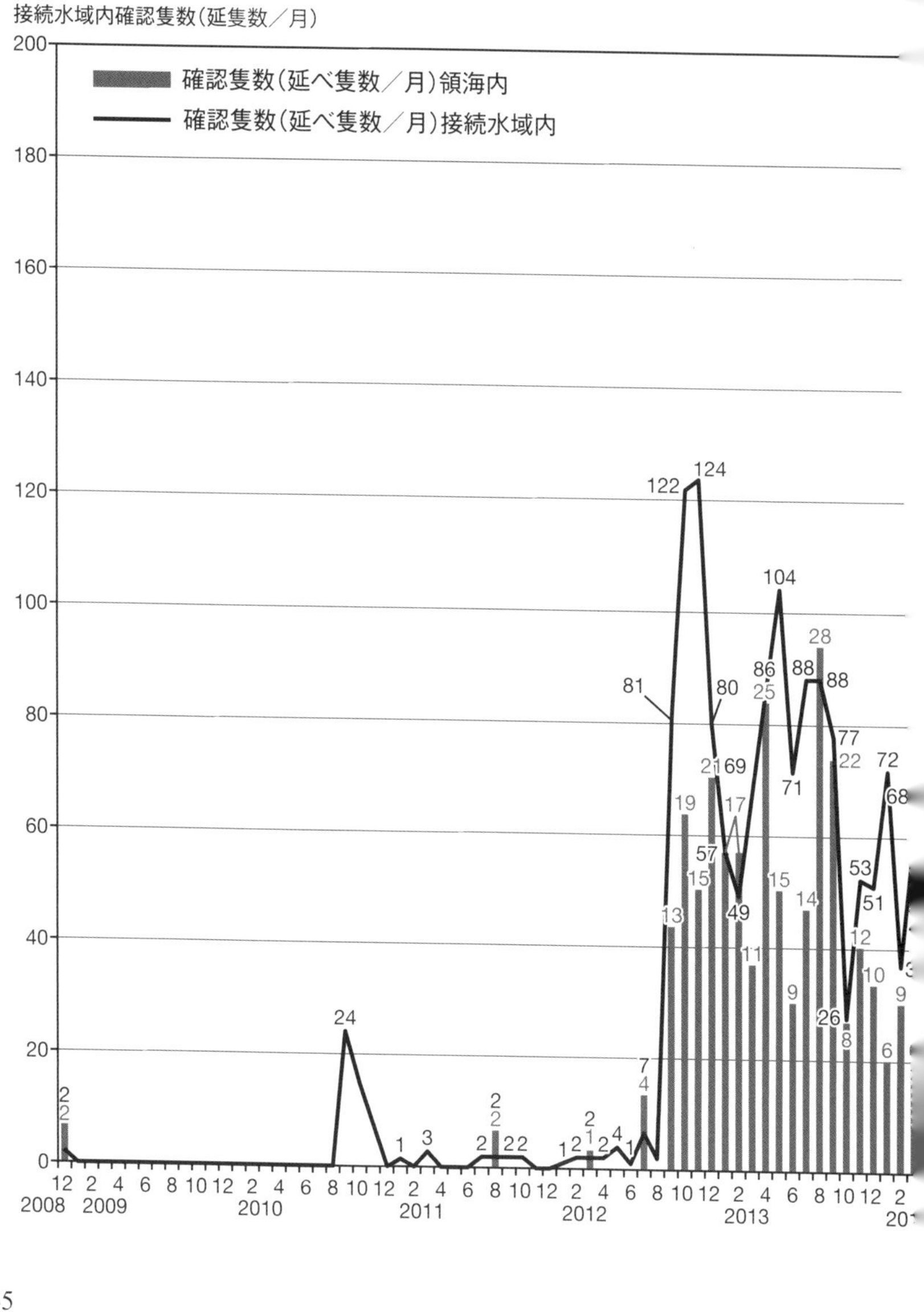

す。また中央テレビ局ＣＣＴＶも中国政府の通信社である新華社も一斉に鳩山さんの発言を報道しました。

田原　アメリカの香港政策に対する介入や民主デモ支援はやり過ぎではないか、との意見や、トランプの大統領選挙に利用されている面もあるとの主張は、一部当たっていると思いますが、人権無視に対するアメリカの抗議は世界の民主国家を代表して、当然です。

遠藤　おや、後半の方は賛成ですが、しかし日本はその人権無視の国家に対して如何なる抗議の意思表示もせず、その国の国家主席を国賓として招こうとしている。それは人権無視を肯定したことに繋がります。

田原　いや、安倍さんは習近平に会ったときも、「一国二制度」は守らなければならないことと、平和裏に話し合って解決すべきだということを言っていると思いますよ。

遠藤　それは北京政府が毎日言っている言葉で、習近平は当然「その通りだ」と言って喜ぶだけでしょう。北京政府はどう言っているかと言いますと「香港デモ参加者は暴徒だ。一国二制度を破壊しようとしている。一国二制度は絶対に守らなければならない。意見があるなら、話し合いで解決すべきだ。平和こそ重要だ」と、このように言っています。したがって、習近平は安倍さんが北京のやり方を肯定したと解釈します。言葉などで言っても偽善に過ぎない。行動で示さなければなりません。空々しい言葉遊びはやめましょう。

また習近平を国賓として招聘すれば天皇陛下に拝謁《はいえつ》することになる。その映像を北京は存分に宣伝材料として使おうとしているのです。

事実、12月3日には、鳩山さんはフォーラム参加者とともに習主席と会見していますが、中国メディアはこの会見を大々的に宣伝用にフル活用しました。

田原　鳩山さんはもう過去の人だ。彼の言動はまったく影響力はありません。

遠藤　たしかに、日本に対する影響力はないでしょう。しかし中国では最大限に彼の発言を利用し、大々的な宣伝活動を行っております。彼が発言している姿と彼の発言を、中央テレビ局ＣＣＴＶは、ほぼ1時間ごとに放映し、中国共産党機関紙の「人民日報」もその傘下の「環球時報」も大きく取り上げました。中国政府の通信社である「新華社」も例外ではありません。

それをさらにクローズアップするために、鳩山さんを習近平国家主席と会談させて重みを付け、全世界に発信したのです。鳩山さんが発言した場所は国際フォーラムですから、各国の代表が参加していました。当然、関係各国が自国の原語（ほとんど英語）で報道していきました。

もし習近平が国賓として訪日すれば、天皇陛下に拝謁することになります。中国はその映像が欲しい。それを全世界に向けて発信し、「日本国」が習近平の一党支配体制のやり方を肯定したとして大々的に利用するでしょう。

それだけではありません。習近平を国賓として招聘すれば、必ず即位なさったばかりの天皇陛下の訪中を返礼として要求してきます。

となれば天皇陛下ご自身は断れない。しかし安倍さんが強く要望して習近平の国賓としての招聘を決めたのだから、安倍政権は天皇陛下訪中を断ることはできないでしょう。
これ以上の天皇の政治利用はない。そこまでしてでも習近平を国賓として招聘する理由はどこにあるのでしょうか。その説明を安倍さんはしていません。日本国民に対してだけでなく、中国を除いたすべての国に災禍をもたらします。そのような禍根を残す決断を日本はすべきではないのです。今からでも遅くはない。踏みとどまる良識を、日本は持つべきです。

日本人拘束は言論弾圧——日本はそれを礼賛することになる

田原　そこが私と意見が食い違うところです。意見の対立はあっていい。日本は言論の自由が保障されていなければいけない。

遠藤　まさにそこですよ。仰るとおり日本は言論の自由が保障されていなければならないのに、日本人が中国で10名以上拘束されていますね。それもただ単に「スパイ容疑」というだけで、実際に何をしたのかに関しては公開されていません。そのような状況を放置したまま、その国の最高指導者を「国賓」として招聘し、天皇陛下に拝謁することを許すなどということは、到底考えられない構図です。

田原　たしかに拘束された法律がスパイ取り締まりに関する法律であることは報じられていますが、もちろん問題ありです。安倍首相も認識しています。

遠藤　認識していても国賓として招くというのは、拘束も認めますと言っているに等しいのです。

　また、「安倍さんが認識しているか否か」の問題ではなく、田原さんご自身が一ジャーナリストとして、どう判断なさるかの問題です。こんな状況の中で、それを実施している国のリーダーを国賓として招聘することなどあってはならないと思いませんか？

田原　中国に対して、抗議すべきところは抗議すべきです。

遠藤　そのような政府答弁のような回答しか戻ってこないのは、実に残念です。田原さんもジャーナリストでしょ？　なぜ「これでは学者・研究者は全員スパイ容疑になってしまう。ジャーナリストとしても許せない」というようなナマの声を発しないのですか？

すでに釈放はされましたが、拘束された北海道大学法学部教授は、中国政府のシンクタンクである中国社会科学院近代史研究所からの招聘を受けて中国に行き、そこで拘束されるという、とんでもない経緯の中で捕まっているんです。

　実は私自身、２００４年まで、その中国社会科学院の客員教授でしたから、あそこの雰囲気は熟知しています。みな庶民的で開けっぴろげ。夏はＴシャツ半ズボンで出勤し、どちらかというと、リベラルと言ってもいいほど自由な空気が流れていました。

田原　権威的ではなかったんですか？

遠藤　全く違います。庶民的で親切で、ざっくばらんな感じでした。それでも言論弾圧には勝てない。だから私は中国に見切りをつけたのです。中国社会科学院のようなところでも、上からの命令には絶対服従です。ですから、何か、ピンとくるものがあるんです。あの人たち自身が企むことはない。企むとすれば、上から、それも中共中央のよほど権威の高いところから「厳しい内密の命令」があった以外にない。あれは拘束しておいて、あたかも「交渉を受けて釈放した」という実績を作り、習近平来日のバリアーを低くするための工作ではないかと思っています。

もっとも、2014年11月に「反スパイ法（中華人民共和国反間諜法）」が制定されてからというもの、日本人が次々に拘束・逮捕されていますよね。中には懲役刑を受けている人もいる。習近平政権になってから、何もかもが変わっていったのです。

田原　個人的見解ですが、習近平来日を控えて、拘束・釈放と引き換えに日本政府と何らかの取引を迫ったのであれば、日本政府はそれを明らかにすべきです。それによって習近平来日がズレたり、取りやめになっても仕方がないでしょう。

遠藤　その通りです。すばらしいではないですか。「取りやめになっても仕方がない」という個人的見解を持っておられるのなら、なぜそれを貫かないのですか？

なぜ田原さんはジャーナリストとして「事は一（いち）日本国民の自由な研究、外国への行き来が制限されて、理由によっては、不法・不当に生命、安全にかかわることだから、習近平の国賓来日を中止すべきだ」と言えないのですか？

田原　いや、国賓来日に関しては、トランプがＯＫと言っていると思います。

遠藤　またトランプですか。トランプがどう言っているか関係ないではないですか。トランプに１９９２年の天皇陛下訪中がもたらしたものなど、分かるはずがない。彼はそんな分析にまで頭が回らないと思いますよ。

　百歩譲って、国賓以外なら、他の形式での「公式訪問」でもいい。習近平がどうしても来たいのなら天皇陛下を巻き込まない訪問なら妥協します。**民間の経済交流は否定しません。一党支配体制が崩壊したときのためにも、民間レベルでの経済活動は続けていていいと思います。**

　私が言っているのは「国賓扱いをするな」ということです。もっとも「是非とも国賓で」と言い出したのは安倍さんで、安倍さんは「なぜ国賓でなければならないか」に関して説明したことがありません。それを説明すべきです。

田原　安倍さんは、トランプの了承を得ていると思います。

遠藤　なぜ田原さんはそんなに「トランプが了承しているか否か」ばかりを主張なさるのですか？　トランプの了承を得ていれば日本国民として天皇陛下を巻き込むことに賛同して良いんですか？　軍事力を持っていない日本がアメリカの核の傘の下にあるからと言って、日本国民に自らの国家の運命を決定していく意思表示ができないなどということはないはずです。これではまるで一種の言論弾圧ではありませんか。

　日本の野党だって、だらしない。真に日本の国益を考える思考力を持っているのなら、今だって遅くない。一致団結して反対の声を上げ、日本国民のために踏みとどまらせるべきです。

田原　残念ながら日本は世界で自立する力を持っていません。

遠藤　自立する力を持っていなかったら、理由も明かさずに日本人を拘束・逮捕する国のリーダーを「国賓扱い」で迎えなければならないのですか？　「国賓にしたい」と言ったのは安倍さんです。もっとも安倍政権で絶大な影響力を持っている二階さんに「習近平を国賓来日させよ」とか「隣国とは仲良くしろ」あるいは「日本は一帯一路に協力すべし」と忠告したのは田原さんだと、田原さんご自身が何度も仰っているので、日本をこのように間違った方向に導いているのは、案外、田原さんだということが言えるのかもしれない。

田原　私にはそんな力はありません。施政者側ではないですから。

遠藤　いえ、今はテレビが大きな力を持っています。「政治をテレビ化した」のは田原さんと言っても過言ではないでしょう。「政治をテレビ化した」という現象には功罪両面があります。今は「罪過」の方が全面に出始めているように思われてなりません。政治家は選挙があるので、テレビではいい顔をしていたい。その結果、政治家を出演させてガンガン厳しいことを仰る田原さんに、政治家は「ほぼ、何を言われても」低姿勢でニコニコしています。選挙の際の投票を考えた人気取りのためです。これはいいことでしょうか？

これでは政治家を堕落させてしまい、民主主義を俗悪化させてしまいます。メディアに迎合する政治家しかいなくなりました。これは大きな罪過です。あってはならない現象です。

これは民主主義の脆弱性の一つです。それがいま全体主義的な一党支配体制国家のプロパガンダに負けようとしている。その一党支配体制国家に経済力を付けさせたのは日本です。

田原　いや、安倍さんはやむを得ないのだと思いますよ。

遠藤　北朝鮮による拉致は許せないと言っておきながら、大国になってしまった中国の拉致なら寛大に見逃すというのですか？

よろしいですか？

日本人拘束は、「拉致」に等しいのですよ。理由も何も公表しないのですから。

日本人として私たち一人一人の命と安全が突然脅かされるかもしれないことに関して、一国民として意思表示をしていかなければならない。拉致をしている国のリーダーを国賓として招き、それがやがて天皇陛下訪中を余儀なくされることにつながっていく。

田原　安倍首相がトランプ大統領と良好な関係を保ちながら、一方で習近平を国賓として招く決断をした。その考えも私は分かる。

遠藤　田原さんはこの対談の冒頭で「私はジャーナリストとして」とまずおっしゃいました。ジャーナリストなら、ジャーナリストの気高い良心を持って、「自分の言葉で、自らの考え」を語ってください。

私はチャーズで餓死した数十万の無辜《むこ》の民の魂の叫びを背負って生きてきました。彼ら彼女らは毛沢東に、そして中国共産党によって殺されたのに、いや、だからこそ、ゴミのように葬られ歴史から消されています。その無念の思いを救ってあげたい。そのためには言論弾圧を続ける中国共産党による一党支配体制を終わらせなければならないのです。一党支配体制の維持を強化する方向に動くことは、人類のモラルに反することなのです。

中国共産党によって抹殺され虐殺された数千万に及ぶ人たちの無念の声に耳を傾けてください。今このような状況の中で習近平を国賓で招聘することは、その人たちの魂を踏みにじることにつながる。それはやがて、日本国民の命、尊厳を踏みにじることにつながっていきます。

田原　遠藤さんの主張は分かりました。また今回の対談で初めて知ることも多く、刺激にもなりました。少なくとも遠藤さんはただ単にイデオロギーとして習近平の国賓招待に反対しているのではなく、人生を懸けて、その思いを発信しておられる。そのことも伝わってきました。貴重な機会をありがとうございました。

遠藤　いえ、こちらこそ、田原さんのような著名なジャーナリストと、ここまで時間をかけてじっくり話し合う機会を与えていただき、心から感謝しています。田原さんの、日本の政権への影響力という、今まで見えてこなかった背景を初めて知ることができたのは非常に大きな驚きであるとともに、大きな収穫でもありました。

最後にこの場を借りて、このような対談を企画し、日本国民にとって非常に重要な分岐点になる議論を存分に深める機会を与えてくださった実業之日本社の岩野裕一社長および関係者の皆様にも、心からお礼を申し上げたいと思います。

皆様、ありがとうございました。

この本を手に取ってくださる読者の方々にも感謝申し上げたい。

皆様、日本の未来を一緒に考えていこうではありませんか。どうか、お力をお貸しください。

【著者略歴】

遠藤誉（えんどう・ほまれ）

中国問題グローバル研究所所長、筑波大学名誉教授、理学博士
1941（昭和 16）年、中国吉林省長春市生まれ。国共内戦を決した長春食糧封鎖「卡子（チャーズ）」を経験し、1953 年に帰国。中国問題グローバル研究所所長、筑波大学名誉教授、理学博士。中国社会科学院社会学研究所客員研究員・教授などを歴任。
著書に『中国がシリコンバレーとつながるとき』（日経 BP 社）、『ネット大国中国　言論をめぐる攻防』（岩波新書）、『卡子　中国建国の残火』（朝日新聞出版）、『毛沢東　日本軍と共謀した男』（新潮新書）、『「中国製造 2025」の衝撃』（PHP 研究所）、『米中貿易戦争の裏側』（毎日新聞出版）など多数。

田原総一朗（たはら・そういちろう）

ジャーナリスト
1934（昭和 9）年、滋賀県生まれ。1960 年、早稲田大学を卒業後、岩波映画製作所に入社。1964 年、東京 12 チャンネル（現・テレビ東京）に開局とともに入社。1977 年、フリーに。テレビ朝日系『朝まで生テレビ！』『サンデープロジェクト』でテレビジャーナリズムの新しい地平を拓く。 1998 年、戦後の放送ジャーナリスト 1 人を選ぶ城戸又一賞を受賞。現在、「大隈塾」塾頭を務めながら、『朝まで生テレビ！』（テレビ朝日系）、『激論！クロスファイア』（BS 朝日）など、テレビ・ラジオの出演多数。
著書、共著多数あり、最新刊に『令和の日本革命　2030年の日本はこうなる』（講談社）がある。

激突《げきとつ》！ 遠藤《えんどう》vs田原《たはら》　日中《にっちゅう》と習近平国賓《しゅうきんぺいこくひん》

2020年1月30日　初版第1刷発行

著　者　遠藤誉
　　　　田原総一朗
発行者　岩野裕一
発行所　株式会社実業之日本社
　　　　〒107-0062
　　　　東京都港区南青山5-4-30
　　　　CoSTUME NATIONAL Aoyama Complex 2F
電話　03-6809-0452（編集）
　　　03-6809-0495（販売）

ホームページ　https://www.j-n.co.jp/
印刷・製本　大日本印刷株式会社

ISBN 978-4-408-33893-4（ビジネス）